Christina Wilkening
STAAT IM STAATE

Aufbau   Texte zur Zeit

Christina Wilkening

STAAT
IM STAATE

Auskünfte ehemaliger
Stasi-Mitarbeiter

Aufbau-Verlag

ISBN 3-351-01814-2

1. Auflage 1990
© Aufbau-Verlag Berlin und Weimar 1990
Gesamtgestaltung Hartmut Lindemann
Gesamtherstellung Ebner Ulm
Lizenznummer 301. 120
Bestellnummer 614 341 0

Vorwort

Stasi – Staatssicherheit – Geheimdienst: Reizworte seit langem in der DDR. Mit der friedlichen Wende im Oktober 1989 wurden aus den Tätern von gestern die Prügelknaben der Nation von heute. Geschieht es ihnen recht? Sind sie neben dem entmachteten Parteiapparat wirklich die Hauptschuldigen am Scheitern des Sozialismus in der DDR? Oder wirkten sie nur disziplinierend auf alle anderen, die schließlich irgendwie, und sei es stumm und tatenlos, mitgemacht haben? Eines steht für mich fest: Ohne das Ministerium für Staatssicherheit hätte es längst eine Wende gegeben, es war ein systemerhaltender Apparat. Es wuchs, vor allem im letzten Jahrzehnt, zum „Staat im Staate" heran, von dem keiner je so richtig wußte, was er machte.

Wie wir heute wissen, gab es nur wenige „operativ Arbeitende" in diesem Ministerium. Viele Mitarbeiter waren dazu da, die Bewacher zu bewachen und den „Hof" zu schützen. Läßt man die Abteilung Aufklärung weg, die es in jedem Land gibt, dann bleiben drei Viertel des Mitarbeiterbestandes für die sogenannte Arbeit nach innen, für die *flächendeckende* Überwachung. Zu verhindern, daß oppositionelle Kräfte den Machtapparat stürzten, war dabei Hauptziel der Arbeit. Wohl aber auch, Informationen zu sammeln über Stimmungen im Lande. Immerhin, zu wissen, wie das Volk denkt, ließ man sich etwas kosten. Doch der Apparat wurde immer starrer. Viele fürchteten im Oktober/November 1989 ein blutiges Ende der friedlichen Revolution, ausgelöst durch diesen Sicherheitskoloß. Doch es kam anders: 85 000 Mann kapitulierten, liefen davon, eine andere Arbeit zu suchen. Wenige harrten stillschweigend aus in der Hoffnung, ein neuer Geheimdienst würde gebraucht.

Warum diese Kapitulation dieses so verhaßten Apparates? „Das Organ sei selbst lange schon reif gewesen für die Revolution", sagt ein klinischer Psychologe des Ministeriums aus. Er weiß es von seiner Patientenschar, die in den letzten Jahren immer größer wurde.

Ich wollte wissen, wer diese Stasi-Leute waren, die im Volke so gefürchtet und so verhaßt waren. Was sie dachten und wie sie sich heute fühlen. Allen im Land hat man die Möglichkeit gegeben zu reden, sich zu rechtfertigen – ihnen nicht.

Ich möchte es mit diesem Buch nachholen. Am 20. Januar 1990 begann ich die Gespräche, am 5. März 1990 wurden sie beendet. Von der Möglichkeit, sich anonym zu stellen, Auskunft zu geben, machten zwölf ehemalige Mitarbeiter, vom Oberfeldwebel bis zum Oberst, Gebrauch. Mitarbeiter aus allen maßgeblichen Abteilungen des MfS beantworteten freiwillig Fragen, redeten sich – oft stundenlang – vieles von der Seele. Zwölf Tonbandprotokolle ehemaliger Mitarbeiter, deren Namen nur mir und Dr. Klaus Grehn, dem Vorsitzenden des Arbeitslosenverbandes der DDR, der mir die ehemaligen Stasi-Mitarbeiter vermittelte, bekannt sind.

Berlin, 1. April 1990   Christina Wilkening

Wir waren immer nur
Hilfsmittel der Politik

Jürgen, 37 Jahre,
Hauptverwaltung Aufklärung

Wenn Sie mich nach den Gründen fragen, weshalb das Volk einen solchen Haß auf uns hat, muß ich aus heutiger Sicht sagen: Es wurde sehr viel hochgejubelt, hochgespielt, hochgeputscht. Am Anfang dieser Wende, ich möcht's nicht mehr Revolution nennen, hat doch die eigene Partei und Staatsführung diesem Organ die Schuld zugeschoben. Eindeutig. Ich erinnere mich nur an die Oktobertage, wo viele Mitarbeiter gesagt haben, „das kann doch wohl nicht wahr sein, wir sind hier durch Dienste an die Schreibtische gefesselt". Wir durften keine Demo besuchen, wir durften dieses nicht und jenes nicht. Wir haben nur gewartet und sind dann nach Hause gegangen. Wir merkten es durch Äußerungen, ganz konkret bei Schabowski, als er vorm Roten Rathaus gesagt hat: „Von den Herren ist ja niemand da." Die VP hat sich artikulieren können, die Armee hat sich artikulieren können, der Staatsapparat und die Partei haben sich artikuliert, nur wir wurden nicht gefragt. Es war ja nicht so, daß niemand etwas sagen wollte oder konnte. Es hätte sicher Genossen gegeben, die was zu sagen gehabt hätten. Wir standen unter Befehl, wir waren ein militärisches Organ. Das war der äußere Anlaß.

Das nächste, was ich sehe, ist, daß im Amt das Krisenmanagement de facto, als dann der Wagen auf dem Abrollberg lief, nicht in der Lage war zu bremsen oder zu steuern. Daß einfach nicht mit dem entsprechenden Mut gehandelt wurde, ein richtiger Schritt nach vorn, um dieses Potential, das da war, zu retten, sondern daß man der Entwicklung immer hinterhergelaufen ist.

In diesem Ministerium waren vier große Bereiche vereinigt: der eine, wo ich herkomme, die Aufklärung, also der Außendienst, der einen geringen Anteil an diesem Riesenministerium hatte;

dann die Spionageabwehr hier im Lande, die sich wirklich mit den Agenten, Spionen, Diversanten und dergleichen mehr beschäftigt hat;

weiter der Militärische Abschirmdienst, der sich mit der Sicherheit der militärischen Organe – der NVA, des MdI und dergleichen mehr – beschäftigte;

und dann der Teil, der den größten Anspruch hat und der auch die größte Unruhe und den größten Haß hervorgerufen hat: die sogenannte Politische Polizei, die sich flächendeckend mit den Andersdenkenden auseinandergesetzt hat, die mit Mitteln und Maßnahmen gearbeitet hat, die mir heute erst richtig bewußt werden.

Die ehemalige politische Führung vermochte nicht, sich mit politischen Problemen politisch auseinanderzusetzen, sondern hat dafür das administrative System benutzt. Wir haben – entschuldigen Sie den Ausdruck – immer in der Scheiße gewühlt. Aber das ist der Beruf, das ist das, wofür sich die Leute, die da arbeiteten, auch entschieden hatten. Und je weniger die politische Führung sich mit den Andersdenkenden auseinandersetzte, um so größer wurde dieser Apparat, um so mehr Bedeutung bekam er für die Absicherung der politischen Führung. Ich hab' das bis heute noch nicht richtig verarbeitet. Trotzdem: Für mich ist es gegenwärtig fast nicht zu begreifen, woher der Haß jedes einzelnen kommt. Jeder will seine Akte sehen, jeder ist der Überzeugung, er hat 'ne meterdicke Akte liegen. Jeder ist der Überzeugung, er wurde abgehört. Was die Post angeht, muß ich jetzt auch eingestehen, daß flächendeckend geschnüffelt wurde, was ich von unserem Bereich nicht kannte. Doch ich stehe nach wie vor dazu. Auch ein neuer Dienst, der in diesem Lande geschaffen wird, wird diese Maßnahmen – das sind nachrichtendienstliche, geheimdienstliche Mittel und Methoden – anwenden. Darüber muß sich jeder im klaren sein in diesem Lande. Jeder, der diesen Dienst verdammt, wird sich damit abfinden müssen, daß er, einem neuen politischen System untergeordnet, wieder abgehört wird. Ich hoffe nur eins, daß es nicht wieder zu diesen flächendeckenden Maßnahmen kommt, sondern wirklich nur dort, wo berechtigter Verdacht ist, diese Mittel angewendet werden.

Übrigens löst man einen der besten Geheimdienste der Welt auf! Die Mitarbeiter sind gegenwärtig in einem sehr desolaten Zustand, fühlen sich verraten und verkauft. Dabei wird man den Geheimdienst benötigen, um zum Beispiel gegen die Reps vorzugehen. Denn wenn ich höre, daß die Reps eindeutig sagen, aus dem Beschluß der Volkskammer machen sie sich überhaupt nichts, sie arbeiten weiter, ja, da müssen wir mit geheimdienstlichen Mitteln arbeiten. Und die Reps sind es, die jetzt diese gesamte Situation im Lande, diesen Mob aufputschen und diesen Haß auf uns schüren. Wenn sich 'n Sechzehnjähriger hinstellt und sagt, „ich bin 40 Jahre unterdrückt worden von der Stasi", kann ich nur lächeln, auch weil sich für ihn de facto überhaupt niemand interessiert hat.

Also zurück zur flächendeckenden Überwachung: Das ist mir jetzt erst richtig bewußt geworden, das hab' ich nie für möglich gehalten, weil ich mir immer gesagt habe, auch dieser Dienst kocht nur mit Wasser. Denn wenn ich mir vorstelle – allein 'ne flächendeckende Postüberwachung in die BRD oder ins kapitalistische Ausland, das muß ja gelesen werden, das muß gespeichert werden, das muß ausgewertet werden. Da hab' ich immer gesagt, das kann kein Dienst dieser Welt schaffen. Das sind ja schon wegen der verwandtschaftlichen Beziehungen Milliarden Briefe! Wer soll das machen? Routinemäßig, stichpunktartig Dinge rausziehen, o. k., weil ich da selbst mal mit konfrontiert war vor vielen Jahren mit einem Fall. Einer meiner besten Leute, von dem ich sehr viel gelernt habe, der sehr gut gearbeitet hat, hat eben noch für 'n CIA und für 'n BND gearbeitet. Er ist dann durch so 'ne Routinemaßnahme ins Blickfeld gekommen, also durch diese Postkontrolle. Es wurde ein Geheimschreibtisch entdeckt, und dadurch konnte er enttarnt werden. Es war 'n knallharter Agent, der für zwei Dienste arbeitete und alles, was er wußte, verkauft hat. Sogar für drei – für mich, für den CIA und BND. Und daher war ich der Überzeugung, stichpunktartige Überwachung ist gut. Aber flächendeckend – nein.

Zu meiner Arbeit: Ich war, wie gesagt, bei der A, der Aufklärung. Die A hat innerhalb dieses Ministeriums immer 'ne besondere Rolle gespielt. Wir haben das als Mitarbeiter gespürt. Es gab natürlich Zusammenarbeit mit Mitarbeitern der Abwehr, weil wir ja auch von der Basis DDR aus gearbeitet haben und die Abwehr dieses Terrain beherrschte. Wir kannten andere Mitarbeiter und waren immer der Meinung, daß wir sehr viel weiter waren. Also nicht in diesem engen Denken. Das ist im wesentlichen unserm ehemaligen Chef, Generaloberst Markus Wolf, zu verdanken, dem es gelungen ist, über 33 Jahre diese Abteilung in der Nische zu halten. Dem es aufgrund seines Intellekts gelungen ist, das neue Denken vor allem bei den operativen Mitarbeitern einzupflanzen. Und es war ja auch notwendig. Denn der Umgang unsererseits mit Leuten aus 'm kapitalistischen Ausland, vor allem der BRD, erforderte Weitblick.

Natürlich haben wir uns Gedanken über die Lage im Land gemacht, in Parteiversammlungen und im Dienstkollektiv. Es ging uns genauso wie vielen anderen in Betrieben. Es gab ja diese interne Öffentlichkeit, diese Offenheit, wo man über alle Probleme sprach. Wir waren doch immer nur Hilfsmittel der Politik. Jeder versuchte auf seinem Gebiet, seine Meinung einzubringen und seine Möglichkeiten auszuschöpfen, um 'ne Veränderung im Gutwilligen, ich sag mal, im Gorbatschowschen Sinne einzuleiten. Aber seit dem *Sputnik*-Verbot gab es keine gutwillige Lösung unserer Probleme mehr. Da habe ich mir gesagt, das geht alles nicht mehr. Und die Spannungen im Organ nahmen ja auch zu. Kritik zu äußern wurde immer schwieriger, weil wir eben 'n militärisches Organ waren und unter Befehl standen. Dann gab's ängstliche Leiter, die abgeblockt haben. Dann gab's natürlich die Parteiliner.

Wenn ich nur an das letzte Jahr denke! Die Ausreisewelle wurde immer größer. Die meisten Parteisekretäre haben Kritiken und Berichte zur Lage gar nicht mehr weitergegeben. Dann gab's wiederum Lichtpunkte: Es wurde der Friedrich-Wolf-Film vollständig aufgeführt, aber wiederum erst nach Intervention der Schöpfer beim Generalsekretär. Da wurde mir eigentlich klar, in welcher Alleinherrschaft Honecker stand. Ich hielt das immer für undenkbar, daß sich so ein Mann für jeden Film interessiert. Aber es war so. Wer sich durchkämpfen konnte bis zu ihm, der bekam auch sein Recht. Er war ja gern der große Gönner, wollte immer der Staatsmann Nummer Eins sein.

Doch dann fing's an zu kollern. Der Knatsch nach der Wahl, die Fluchtwelle nach Ungarn. Die Leute liefen uns in Scharen davon, und mir wurde klar, daß das nicht mehr lange gutgehen konnte.

Aber zurück zu uns: Daß sich dieses Ministerium verändern muß, war lange klar. Ich will mich jetzt nicht als Hellseher hinstellen und sagen, daß ich das alles gewußt habe. Um Gottes willen. Aber man macht sich ja seine Gedanken. Wenn ich nur an das Beispiel „Reisekader" denke. Was ging uns 'ne Bestätigung von Reisekadern an? Das muß der Direktor oder der Abteilungsleiter entscheiden, ob er diesen oder jenen reisen läßt und sagt, gut, der kann diesen Betrieb oder seine Aufgaben im Ausland vertreten.

Und dann diese PS-, Personenschutz-Einsätze, diese Sicherungseinsätze bei Regierungsbesuchen, in Fußballstadien, und weiß der Kuckuck noch, wo unsere Leute gesessen haben und aufpassen mußten. Wir haben tagelang auf der Straße rumgestanden. Und das nahm zu. Hatte die Führung solch' barbarische Angst, daß sie nun völlig abgeschirmt sein wollte? Es war klar, in diesen Strukturen ging das nicht weiter. Aber daß wir nun ganz weggefegt würden, dachte ich nicht.

Daß die Hauptabteilung XX weg mußte, ja. Denn die gesamte politisch-ideologische Diversion ist eine Erfindung unseres alten Ministers, des Herrn Mielke. Die hat er sogar den Freunden vom KGB oktroyiert. Ende der fünfziger Jahre hatte er diesen Begriff kreiert und das Entsprechende dann auch ausgeführt. Ich habe mit meinem Chef darüber gesprochen. Er sagte, dieses Ding, das funktioniert nicht, das geht nicht, das stimmt nicht. Das ist die Problematik der *Auseinandersetzung mit den Andersdenkenden.* Das geht nicht, das darf nicht sein!

Ich habe mir immer die Frage gestellt, wer sind politisch Andersdenkende? Ich bin nun durch meine Arbeit über mittlerweile acht Jahre sehr viel mit intellektuellen Kreisen, mit Künstlerkreisen zusammengekommen, die genauso dachten wie ich, weil ich genauso dachte wie sie über die gesamten Entwicklungen im Lande. Ich hab' viele Leute gekannt und war auch immer stolz drauf, nicht unter dieser Dunstglocke zu sein. Sicher gab's unterschiedliche Auffassungen zu diesem und zu jenem, das ist normal, aber doch keine grundsätzlichen Differenzen!

Ich hab' auch viele Kontakte gehabt zu einfachen Werktätigen, die am Band gearbeitet haben, die in der Landwirtschaft gearbeitet haben. Wir haben über politische Dinge gesprochen. Ich hab' da nie 'n Gefühl gehabt, irgendwo außerhalb zu stehen, aber ich hab' auch nie verstanden, weshalb Leute wegliefen aus diesem Land. Ich hab' das immer gesehen als 'ne Flucht vor der Arbeit, vor der Aufgabe, aus diesem Land was Schönes zu machen.

Erst dann im Mai, Juni habe ich begonnen zu verstehen, warum so viele weggingen. Nämlich als ich die Pekinger Lösung gesehen habe, als ich die Panzer rollen sah gegen das eigene Volk, und ich hab' ja einige Freunde und Bekannte in China, da fing dieser Denkprozeß an. Dann kam der Oktober bei uns. Wir haben viel darüber gesprochen, mit meinem Chef und mit Freunden, und haben gesagt: Eine chinesische Lösung – eine blutige hier im Lande – hoffentlich nicht! Hoffentlich eskaliert das nicht, daß es zu 'nem Blutvergießen kommt. Ich hab' das nie für möglich gehalten, daß

13

in diesem Lande jemand einen Schießbefehl geben würde. Heute weiß ich, daß es diesen Befehl gab. Ich war im Dezember erschüttert über diese Kämpfe in Rumänien, über die Brutalität dieser Kämpfe. Da wurde mir klar, daß auch wir bis zum Hals, bis zur Halskrause im Blut hätten stecken können. Und da wußte ich auch, daß dieses Amt, das MfS, nicht weiter existieren würde, daß es auseinandergeht. Das ganze Problem Rumänien hat mich schon 'ne Weile beschäftigt, weil diese Unterdrückung des Volkes nicht Sozialismus sein konnte und daß damit, was dort im Namen des Sozialismus passiert ist, die Idee, die ich nach wie vor für 'ne gute halte, diskreditiert, in den Schmutz getreten, mit Blut beschmiert und befleckt wurde.

Meinen alten Minister habe ich persönlich kennengelernt, zwei-, dreimal. Er hat den Apparat in Gang gehalten. Es war klar, daß er in diesem Alter diesen Apparat nicht mehr beherrschen konnte. Er versuchte es, versuchte es natürlich mit Tricks, indem er jeden seiner Stellvertreter drangsalierte.

Dann hatte jeder Freiräume, in denen er sein Imperium schaffen konnte. Das war auch machbar, weil im Geheimdienst – das ist in Ost und West gleich – jeder nur das weiß, was er wissen muß. Also das Prinzip der absoluten Einzelleitung. Jeder hatte seinen Bereich. Es gab zwar Zusammenarbeit, Kooperation, wo es notwendig war, aber ansonsten machte jeder seins.

Der Alte, Mielke, hat meines Erachtens bis in den Oktober hinein, trotz seines hohen Alters, immer noch eine politische Nase gehabt. Er steckte natürlich seit den zwanziger Jahren in diesem Parteiapparat und kannte die Spielregeln. Er hat diese auch durchgespielt bis ins kleinste Detail. Die beiden Erichs mochten sich meines Wissens nie, da gab es immer Spannungen.

Aber sie sind miteinander ausgekommen. Und der große Erich hat den kleinen Erich ins Politbüro geholt. Es war nicht Ulbricht, sondern Honecker. Von da an gab es keinen Bereich im Lande, in dem wir nicht verankert waren. Es lief alles bei uns zusammen.

Anfang der achtziger Jahre zeichneten sich zunehmend Spannungen im Lande ab, Spannungen im sozialistischen Lager überhaupt. Polen war damals Ausgangspunkt, und das schwappte zu uns über. Dann kam Breshnews Tod, Andropow setzte sich an die Spitze in der SU. Und Andropow hat ja eigentlich schon das angeschoben, was Gorbatschow dann weitergemacht hat. Das machte unser Politbüro nervös. Die Wirtschaftskraft der DDR ging gewaltig zurück. Die Pläne, auf dem VIII. Parteitag beschlossen, wurden nicht erfüllt, die Arbeitsproduktivität ging weiter zurück. Die Betriebe wurden immer mehr runtergewirtschaftet. Es tat sich vor allem in intellektuellen Kreisen 'ne Opposition auf und in Kirchenkreisen, die langsam sichtbar wurde. Und dann die Augenauswischerei unserer politischen Führung, die Opposition würde von außen initiiert. Man hat nicht erkannt, daß die Ursachen wirklich im Lande liegen und nicht von außerhalb kommen. Das war ja das Denkschema beider Erichs, würde ich mal sagen, bis zum 18. Oktober.

Aber der kleine Erich war auch immer mißtrauisch gegenüber Markus Wolf und der Aufklärung generell. Am liebsten hätte Mielke die ganze A einsperren lassen, weil wir mit Leuten von drüben umgingen. Ich glaube, Mielke hat Wolf nie getraut. Es gibt ja 'n gesundes und 'n ungesundes Mißtrauen, ich würde das unter kleinliches Mißtrauen einordnen wollen.

Ich bin zur Staatssicherheit gegangen, weil Leute gesucht wurden. Ich war von meinem Elternhaus als loyaler Staatsbürger erzogen und hatte nichts dagegen einzuwenden. Dabei habe ich mich vorher mit diesem Gedanken, zur Staatssicherheit zu gehen, in keinster Weise beschäftigt. Ich hab' einen Beruf erlernt und Außenwirtschaft studiert. Während des Studiums trat man an mich heran und fragte: „Würden Sie mitarbeiten?" Ich bin auch irgendwo ein bißchen ein Abenteurer. Meine Frau sagt immer: „Du machst alles, was irgendwie mit Abenteuer, mit Schnelligkeit, mit Gefahr zu tun hat."

Aber auch meine kommunistische Erziehung spielte eine Rolle. Ich kämpfe heute noch um dieses Land, auch wenn ich sehe, wie sich immer mehr in den Rachen der Bundesrepublik werfen. Ich war fest davon überzeugt – und bin es heute noch, daß diese Arbeit in jedem Land notwendig ist.

Ich hatte keine Privilegien. Ich bin im Konsum einkaufen gegangen, ich habe 15½ Jahre auf 'n Auto gewartet, ich habe kein Telefon von der Firma, das habe ich von meinem Schwiegervater übernommen, auch die Wohnung. Ich konnte nicht im Intershop einkaufen gehen!

Ich habe eines: Ich habe gut verdient, da haben Sie recht. Aber ich hab' mal spaßeshalber meine Wochen-Arbeitszeit ausgerechnet – 78 Stunden! Also de facto zwei Wochen. Können Sie sich ja ausrechnen, was ich da jeden Tag gearbeitet habe. Ich bin oft morgens um halb sieben aus 'm Haus gegangen, abends um 22.00 Uhr gekommen. Also ich weiß nicht, welche Privilegien immer vermutet werden. Ich hatte nicht mal Zeit, mein Geld auszugeben. Ich hab' keine Datsche, dafür viel in die Wohnung gesteckt, meine Frau hat auch gut verdient. Ich bin nicht ins Palast- oder ins Grand-Hotel gegangen und habe nicht an Gala-Bällen teilgenommen und hab' nicht mein Geld zum Fenster rausgeworfen.

Ich hab' meinen Sohn teilweise nur noch schlafend gesehen. Da hat niemand nach gefragt. Ob die Arbeit gut, schlecht oder richtig war, möcht' ich jetzt nicht beantworten, das wird heute anders bewertet als früher. Ich hab' 'ne Tante im Westen. Die hab' ich nie verleugnet, steht auch in allen Akten bei mir drin. Ich habe nur, dieser Job hat das erfordert, zu ihr keinen Kontakt gehabt. Und wenn sich andere von Verwandten weiß der Kuckuck was haben schicken lassen und im Intershop einkaufen konnten, ich bin auch ohne das ausgekommen.

Sicher, es gab Privilegien – nicht nur bei den Generälen. Es gibt Privilegien – für Leute auf dieser gesamten Welt, ob die Kohl heißen oder anders. Na, Kohl stellt sich auch nicht im Supermarkt an!

Unsere leitenden Offiziere, die ihren Kopf zum Denken gebrauchen sollten, hatten einen Shop, also 'n Laden gehabt, haben dort angerufen, haben 'n Termin gemacht, sind hingefahren, haben eingekauft. Sie sind nicht durch die Geschäfte nach Dingen gerannt wie andere. Es gab dort das, was im Exquisit und im Delikat angeboten wurde, und das, was in Wandlitz übrigblieb. So, das waren diese Privilegien, die sie hatten.

Genauso das Problem Korruption. Was ist Korruption? Ich klage jeden Handwerker, jeden, der 'ne Datsche hat in diesem Lande, an wegen Korruption, weil er jeden Verkäufer bestochen hat. Oder den Fahrer vom Tiefbaukombinat. Wenn ich dem 50 Mark rüberschiebe, daß er mir die Fuhre aufs Grundstück fährt statt in seinen Betrieb, wo's hingehört, ist das Korruption. In diesem Land ging doch nichts mehr ohne Beziehungen. Ich nenn's mal Beziehungen. Wer kennt wen? Das war das Prinzip. Eine Hand wäscht die andere. Sicher gab es dabei Niveauunterschiede. Wenn ich 1000 Mark verdiene und gebe 50 Mark Schmiergeld, und ein anderer verdient 2000 Mark und gibt 100 Mark Schmiergeld, bleibt es doch die gleiche Korruption, aber eben niveauverschoben.

Genauso, wenn Sie von Amtsmißbrauch sprechen. Das wurde doch hochgeputscht und aufgebauscht. Mit Wandlitz hat sich das Politbüro selber 'n Grab geschaufelt, indem es sich hinter zwei Zäune gesetzt hat.

Sicher gab es auch üble Machenschaften. Verbrechen, wie Sie das nennen – ich weiß nicht, ob man so weit gehen kann. Zum Einsatz von Psychopharmaka bei Andersdenkenden oder bei eigenen Mitarbeitern, die ausscheren wollten, weiß ich nur eines: Ein Arzt aus Teupitz, wo eine solche medizinische Einrichtung existiert, hatte sich an Herrn Wolf gewandt und machte auf dieses Problem aufmerksam. Dann hab' ich mir das angehört und an die zuständigen Dienststellen weitergeleitet. Ich konnte mir das einfach nicht vorstellen, daß Leute damit gefügig gemacht werden sollten, weil das in mein humanistisches Bild von diesem Lande nicht hineinpaßte. Damit war die Sache für mich erledigt.

Von Schalck-Golodkowski weiß ich, was heute bekannt ist, er unterstand Mielke und Mittag. Dazu muß ich natürlich sagen, unter diesem Dach bot sich für einen Geheimdienst natürlich die Möglichkeit, an Devisen zu kommen. Der Geheimdienst braucht Geld, in Ost wie in West. Der BND hat meines Wissens zum Beispiel 'n Etat von 250 Millionen und verbrät im Jahr etwa eine Milliarde. Nun dürfen Sie mich dreimal fragen, wo die das Geld herhaben. Geschenkt oder gewaschen? Dreckige Geschäfte, bis hin zu Drogenhandel und Waffengeschäften, gibt's doch überall. Wir brauchten Geld, das ist alles.

Jetzt ist alles vorbei. Schade, aber man kann nichts mehr ändern. Es ist gelaufen. Ich hoffe nur, daß man mich leben und arbeiten läßt. Ich bin kein Angsthase, und ich werde dieses Land nicht verlassen. Das ist meine Heimat, ich hab' meine Mutter hier, ich bin hier geboren in diesem märkischen Sand. Außerdem bin ich in einem Alter, in dem ich noch mal neu anfangen kann, ich bin ja nicht dusselig. Ich habe nur innerhalb der Firma meine Arbeit gemacht und denke, daß ich irgendwo wieder Fuß fassen kann.

Eine ganz bittere Erkenntnis der letzten Wochen und Monate ist, daß unser Volk so dumm ist. Das hätte ich nie geglaubt. Ich war immer so stolz auf unsre Menschen. Habe gedacht, das sind kluge Leute, die über das Maß, das ihnen die Schule geboten hat, hinaus denken können, die über ein Informationsquantum verfügen wie in keinem anderen Land dieser Welt. Es ist für mich ein großer Scherbenhaufen. Da ist noch nicht mal das Schlimmste, daß dieses Amt in Grund und Boden gestampft wurde. Für mich ist so bitter, daß diese Dummheit, die auf der Straße regiert, der Bauch, der auf der Straße regiert, sich blindlings in den Rachen der BRD wirft, und da gibt's viele Dinge, die ich einfach nicht mehr verstehe. Aber für mich ist klar: Meine Familie muß leben, und wenn ich mich als Arbeitsloser registrieren lasse. Ansonsten, ich weiß nicht, was soll ich machen?

Da gibt's Vorstellungen, die klingen gar nicht schlecht. Ich weiß nur nicht, wer das bezahlen soll; da meine Firma nicht mehr existiert, wird wohl Vater Staat für die 70 Prozent aufkommen müssen, die bezahlt werden sollen als Arbeitslosengeld. Und mit der

Zeit wird sich schon irgendwas finden. Es gibt viele Vorstellungen. Ich habe mich zu der Einsicht durchgerungen, so wie die Stimmung im Lande ist, daß nur eine Möglichkeit übrigbleibt, zu versuchen, selbständig zu werden. Denn woanders läßt man uns gegenwärtig nicht arbeiten.

In der PDS bin ich noch. Diese Partei, denke ich, ist keineswegs am Ende, weil die Leute irgendwann merken werden, daß es Dinge gibt, um die es lohnt zu kämpfen in diesem Land. Soziale Sicherheit zum Beispiel, nur als Stichwort. Ich habe in vielen Gesprächen festgestellt, daß die Angst darum wächst. Und da gibt's gegenwärtig nur drei: die Vereinigte Linke, die SPD mit den größten Chancen und die PDS, die sich dafür konsequent einsetzen.

Die anderen Parteien werfen doch alles weg. Wenn ich nur an die DSU denke! Was bleibt denn da übrig? Da kommt die freie Marktwirtschaft, und alles geht über Bord. Die CDU steht für mich so weit rechts, da kann sich der Herr de Maizière hinstellen, wie er möchte, sich verwahren gegen den Rechtsruck, der ist für mich kein Thema. Ich bin jetzt sicher voller Haß und Emotionen, weil ich dieses Angeschmiere dort drüben und das parteipolitische Gerangel um dieses Land, die eigene Profilierungssucht und den Karrierismus und all diese menschlich miesen Dinge hochkommen sehe, die mir zutiefst verhaßt sind.

Für mich hat die PDS eine Chance, denn ich glaube, der Gregor Gysi meint sehr, sehr ernst, was er sagt. Er hat es schwer in dieser Partei, seine Gedanken durchzusetzen. Ich denke, er wird 'n sehr guter Oppositionsführer werden. Und solange der an dieser Front kämpft, kämpfe ich da mit. Das steht fest.

Zu den Rechtsradikalen. Wer sich hinstellt und sagt,

daß die Stasi diese Dinge gemacht hat und hinter den Schmierereien in Treptow zum Beispiel stecken würde, der sieht nicht durch. Da hört bei mir die politische Toleranz auf. Schlimm ist doch: 12 Jahre Faschismus in Deutschland, und 45 Jahre später ist dieser Gedanke noch drin. Also, bei allem, was passiert ist, hab' ich gedacht, daß wir wenigstens ein Stück weiter wären. Das ist für mich auch so eine Erkenntnis, das hängt mit der Dummheit, mit der Kleinbürgerlichkeit dieses Volkes zusammen.

Ich ziehe meinen Hut vor der Kirche. Wirklich. Ich hab' früher schon zu meiner Frau gesagt, die Kirche macht eigentlich nichts weiter als ihrer seelsorgerischen Pflicht nachzukommen. Sie konnte ja in unserem System nichts bewirken, sie war ja ausgeschaltet. Es gab zwar diesen Konsens nach dem Gespräch Honeckers mit Bischof Leich, diesen Konsens *Kirche im Sozialismus*. Aber immer wieder wurden sie darauf hingewiesen, sich nicht in die Politik einzumischen. Die Kirche gab natürlich den Andersdenkenden irgendwie 'n Dach überm Kopf und Räumlichkeiten für Veranstaltungen der oppositionellen Gruppen. Das war damals sehr viel wert, nur einfach irgendwo hingehen zu können und sich auszusprechen. Diese interne Öffentlichkeit hat ja in der Kirche auch existiert, und es gab in diesem Land zwei Dinge völlig parallel nebeneinander, in der Kirche und in der Partei: diese interne Öffentlichkeit.

Wir selbst haben doch alles verschenkt. Dabei hätten wir es in der Hand gehabt, mit unseren Möglichkeiten, an Informationen heranzukommen. Markus Wolf hat es versucht, aber es wurde natürlich auch immer schwerer, etwas durchzusetzen, weil der Apparat immer größer wurde. Vor allem die Bereiche, die sich mit uns selbst beschäftigt haben, also Querschnittsbereiche – Auswertung und Rückwärtige Dienste und die Bearbeiter der Bearbeiter, die Überwacher der Überwacher, die Beobachter der Beobachter. Es blieb eigentlich nur noch vorne eine kleine Schicht der Mitarbeiter, die operativ gearbeitet haben. Das Risiko, die Risikobereitschaft der Leiter der mittleren Leitungsebene wurde immer geringer, bei uns wie im ganzen Land.

Die Informationsstrecke
war eine Einbahnstraße

Klaus, 40 Jahre,
Zentrale Auswertungs- und Informationsgruppe

Es ist für mich eine Situation entstanden, die ich mir nie erträumt habe. Ich habe einen Beruf erlernt, später einen Hochschulabschluß erworben, also eine ganz normale Entwicklung. Vor circa 15 Jahren bin ich dann für eine Tätigkeit im MfS angeworben worden. Schon immer war ich an Politik interessiert und engagiert, deshalb stimmte ich zu. Von Beginn meiner Tätigkeit an war ich überzeugt davon, daß ich da einen recht wichtigen Beitrag leisten kann für die Sicherheit unseres Landes. So. Und wenn man das Ganze nun gut 15 Jahre gemacht hat, der Umgang formt ja den Menschen, hat sich meine Überzeugung vertieft. Heute bin ich maßlos enttäuscht, unheimlich aufgewühlt, und habe auch keinen entsprechenden Halt wiedergefunden. Ich weiß nicht mehr, woran ich glauben soll. Man zweifelt ja nicht nur an der Umwelt, an dem, was geschehen ist, sondern man zweifelt ja letztlich an sich selbst und versucht, im nachhinein zu analysieren. Was war richtig? Was hätte man anders machen können? Bisher war ja das MfS Schild und Schwert der Partei, wie es hieß, und wir waren darauf eingestellt. Und mit einem Mal sagt die Partei, wir seien eine Verbrecherorganisation. Seien wir doch ehrlich, ohne uns, ohne diesen Sicherheitsapparat, hätte es die Partei doch schon lange nicht mehr gegeben. Nun wurden wir fallengelassen wie eine heiße Kartoffel. Das hat mir in der ersten Zeit wirklich einen Stich versetzt. Ich habe, wie viele andere auch, an der Partei gezweifelt und überlegt, gebe ich das Buch ab oder nicht. Ich hab's nicht gemacht und kämpfe immer noch mit mir. Denn man muß Position beziehen, ohne Position geht es nicht. Und wenn ich mir die Parteienlandschaft angucke, dann gibt es trotz allem noch keine andere Alternative für mich.

Mein Arbeitsplatz war die Zentrale Auswertungs- und Informationsgruppe, ZAIG genannt. Wir verfaßten für die SED-Führung Berichte über die Lage im Land.

Durch diese Arbeit hatte ich durchaus einen repräsentativen Einblick, wie die Stimmung in der Bevölkerung war. Wir haben gesammelt, verdichtet, analysiert und, auf Grund der Spezifik unserer Diensteinheit, in regelmäßiger Form, und zwar jede Woche, mehrere Berichte an unseren Verteilerkreis weitergegeben, und wir haben diese Erkenntnisse nach bestem Wissen und Gewissen zusammengestellt. Die Masse der Berichte wurde an das ehemalige Kollegium des MfS verteilt und an den Minister. Wichtig ist dabei, daß die Informationen wirklich aus der Basis gekommen sind. Darunter verstehe ich tatsächlich breiteste Bevölkerungskreise, aber wirklich breiteste. Das möchte ich betonen. Dann wurden die Berichte von den entsprechenden Kreisdienststellen zusammengefaßt und an die Bezirksverwaltung gegeben. Dort wurde daraus wieder verallgemeinert, und das war an sich das Problem, daß wir nicht mehr die Originalinformationen erhielten. Die sogenannten Zuarbeiten kamen aus der ganzen Republik. Unsere Abteilung versuchte, daraus ein Stimmungsbild zu geben. Durch die vielen Leitungsebenen aber wurden die Spitzen abgeschnitten, ganz

24

oben und ganz unten, das Wesentliche also. Nun konnte es durchaus passieren, daß alles, was links und rechts weggefächert wurde, auf dem Weg nach „oben" auch noch verlorenging. Dann natürlich noch die stilistischen Veränderungen. Also bei Sachverhalten, von denen wir wußten, sie sind so, wurde der Konjunktiv eingefügt. Das Bild verschob sich nicht nur, es wurde auch nicht der notwendige Ernst aufgezeigt.

Berichte und Analysen gab es aus allen Bereichen. Es gab nur ganz wenige Ausnahmen, also Tabu-Themen, über die wir nicht berichten durften. Ein solches Tabu-Thema, um nur eins zu nennen, war die Medienpolitik, weil wir ja da insbesondere die Parteipolitik zur damaligen Zeit hätten kritisieren müssen. Wenn es um Versorgungsprobleme ging, haben wir immer wieder berichtet, daß es große Probleme in der Ersatzteilversorgung, insbesondere in der Landwirtschaft, gab. Seit Jahren schon! Seit Jahren wurde berichtet über die Versorgungsprobleme der Bevölkerung! Und es gingen auch entsprechende Parteiinformationen an die Mitglieder des Politbüros. Wir haben den Nachweis darüber, daß unsere Informationen an den Empfänger gekommen sind! Aber es gab nie eine Reaktion an den Verfasser des Berichtes. Die Informationsstrecke war eine Einbahnstraße.

Unsere Verantwortung hat da aufgehört, wo das fertige Endprodukt, der Bericht, nach oben geleitet wurde. Denn ab da hatten wir keinen Einfluß, und auf Grund der Befehlsstruktur gab es keine Möglichkeit, auch nur nachzufragen. Bei meinem unmittelbaren Vorgesetzten schon, aber der wußte selbst nichts. Mit der Zeit habe ich dann natürlich resigniert. Nicht nur ich. Anfangs bin ich hartnäckiger gewesen, bin an dem Problem drangeblieben. Aber das ließ im Laufe der Zeit nach.

Man sträubt sich innerlich, zu dem Thema, zu dem man nun schon vor einer Woche oder vor drei Wochen geschrieben hatte, wieder was anzubieten, weil es keinen Neuigkeitswert mehr besaß und sich ohnehin nichts änderte. Da stumpft man irgendwie ab.

Mit der Zeit war mir und meinen Kollegen klar: Diese Berichte dienten meist nur der Information innerhalb des Ministeriums. Obwohl sie ja hätten rausgehen sollen! Und das tut natürlich weh, wenn man weiß, man hatte wieder nur für den Papierkorb gearbeitet. Dadurch konnten wir letztlich auch nichts bewegen.

Natürlich hat sich bei mir eine Wandlung vollzogen. Wenn man sich tagtäglich mit solchen Informationen beschäftigt oder mit solchen Informationen konfrontiert wird, und man merkt, wo es klemmt, und stellt das auch selbst fest im täglichen Leben, fragt man sich natürlich, welchen Nutzen hat unsere Arbeit? Welche Erfolge haben wir erzielt? Zumal wir gesehen haben, daß die Probleme ja nicht weniger, sondern sprunghaft mehr wurden, und bei recht vielen von uns sind dadurch Zweifel gekommen, ob das noch lange gutgeht. An die richtigen Probleme haben wir schon gerührt. Heute weiß ich, daß das alles Ausdruck einer verfehlten Parteipolitik gewesen ist. Verfehlt deshalb, weil von vornherein immer klar war, wie alles zu laufen hatte. Die Wirklichkeit hat aber gezeigt, es lief vieles ganz anders, mitunter sogar in eine ganz andere Richtung, entgegengesetzt. Und Sie haben durchaus recht, daß die Wende, vom Wissen um die Dinge her, auch durch das MfS hätte eingeleitet werden können, wenn die Konstellation in der höchsten Leitungsebene eine andere gewesen wäre, weil ja alles bekannt war. Doch starre, eingefahrene Gleise und die ganze Leitungshierarchie haben das verhindert. Die Partei hat sich gesträubt dagegen, daß solche Dinge, wie sie sich 1985 in der SU entwickelten, sich auch bei uns hätten vollziehen können. Wir hätten andere Kader gehabt, überall in der DDR, auch in unserem Ministerium, die in der Lage gewesen wären, mit Verantwortungsbewußtsein die Geschichte in eine bessere Richtung zu lenken.

Das Organ war längst reif für diese Wende! Bei vielen Mitarbeitern, auch bei mir, hatte sich im Sommer 1989 eine große Unzufriedenheit herausgebildet. Da wir ja selbst vom täglichen Leben her wußten, daß die Stimmung immer schlechter wurde, war vielen Mitarbeitern klar, daß es so wie bisher nicht möglich sein würde, weiterzuleben. Es mußte was kommen! Das zeigte sich auch daran, daß es innerhalb des Mitarbeiterbestandes kriselte. Es kam zu einem großen Meeting, wo die Mitarbeiter gesagt haben: „Jetzt ist Feierabend. Jetzt wollen wir unsere Meinung sagen!" Wir haben gefordert, daß sich nun endgültig etwas tut. Doch dabei blieb es, bis uns dann die Ereignisse im Herbst überrollten. Ich selbst hatte schon lange den Kanal voll. Nicht erst im Sommer, sondern vielleicht schon seit Jahresanfang 1989 habe ich wiederholt mit dem Gedanken gespielt, nicht mehr mitzumachen. Aber was dann, wenn dieser Schritt gegangen würde? Eine gewisse Angst war vorhanden, weil ich Beispiele kannte, was mit denen passiert ist, die nicht mitmarschieren. Dann hätte ich das sicherlich am eigenen Leibe verspürt. Und dann, verstehen Sie, wir waren ja nun nicht die schlechtbezahltesten Leute. Ich meine, diese soziale Sicherstellung spielt auch eine große Rolle. Zwar haben wir sehr viele Überstunden gemacht, mitunter Nächte im MfS gesessen, haben einer entsprechenden Schweigepflicht unterlegen. Das sind sicherlich auch Dinge, die mitbezahlt wurden. Aber man gewöhnt sich daran, daß es einem gutgeht.

Mit den Privilegien ist das so eine Sache, da müßte man erst mal klären, was jeder von seinem sozialen Niveau her darunter versteht. Ich meine, daß Leute, die überdurchschnittlich viel leisten, es auch verdienen, ein entsprechendes Äquivalent zu bekommen. Ich sehe auch ein, daß ein Leiter – und ich kann sagen, daß viele Leiter bei uns, was man so beobachten konnte, einen Arbeitstag hatten, der weit über 10, 12 Stunden hinausging – eben auch das Recht hatte, im Dienstwagen nach Hause gefahren zu werden. Denn sie waren in der Regel wieder die ersten, die morgens anwesend sein mußten. Das betrachte ich nicht als Privileg. Wohl aber solche Dinge, wenn entsprechende Personen zwei, drei oder auch mehr Fahrzeuge zur Verfügung hatten, die dann vielleicht zu Hause standen. Das sind für mich Privilegien, die ungerechtfertigt sind und die auch vielen Mitarbeitern ein Dorn im Auge waren.

Für bestimmte Leitungsebenen gab es die Möglichkeit, in gesonderten Läden einzukaufen. Damit habe ich mich auch nicht einverstanden erklärt. In Diskussionen untereinander haben wir uns auch dagegen ausgesprochen. Und es ist eben vorgekommen, daß, wenn die Berichte über Versorgungsschwierigkeiten geschrieben wurden, der Leiter gesagt hat, also das kann nicht sein, das gibt es doch!

Das war's ja! Derjenige, der es zum Besseren hätte wenden können, der Vorgesetzte also, hatte Privilegien, lebte mitunter wie die Made im Speck, glaubte deshalb unseren sachlichen Berichten nicht. Ab einer bestimmten Ebene haben die Leiter wirklichkeitsfremd gelebt, und das war ein nicht zu unterschätzender Faktor dafür, daß die Lage im Land nicht real eingeschätzt werden konnte. Darum wurde auch vieles, worüber von uns informiert wurde, zur Seite gelegt, es wurde nicht zur Kenntnis genommen.

Natürlich hätten wir uns wehren können! Aber haben Sie sich denn gewehrt? Was haben denn die Journalisten gemacht? Oder die Kombinatsdirektoren? Was denn?

Unser Dienstverhältnis war streng geregelt, und das haben wir eben eingehalten. Eine Gewerkschaft, in der jeder hätte sagen können, was er wollte und dachte, existierte nicht. In Parteiversammlungen, wo theoretisch eine solche Chance bestanden hätte, haben wir uns ausschließlich mit der Lösung politisch-operativer Aufgabenstellungen beschäftigt, so daß der Spielraum, wirklich einmal seine Meinung sagen zu können, gleich Null war. Ehemalige Genossen, die kurz vor dem Rentenalter standen, die haben schon mal ihre Meinung gesagt. Denen konnte nichts mehr passieren.

Und noch eins: Bei uns hatte der einzelne Mitarbeiter auf der unteren und mittleren Ebene keinen Einblick, was im Detail andere Diensteinheiten gemacht haben. Deshalb wußte ich auch nichts von einer „flächendeckenden Überwachung", auf der jetzt alle rumhacken. Wohl aber war mir bekannt, daß Personen, die nicht in das Bild der damaligen Parteipolitik paßten, überwacht wurden. Wie und in welchem Umfang, war mir nur von Einzelfällen her bekannt, wo abgehört wurde, wo mit Hilfe inoffizieller Kräfte zielgerichtet nach Beweismaterial gesucht wurde. Das hängt sicherlich auch damit zusammen, welche Tätigkeit der einzelne im MfS ausgeführt hat. Denn es gab auf Grund der Arbeitsteilung eine Vielzahl von Personen, die in operative Grundprozesse, wie wir es genannt haben, so gut wie keinen Einblick hatten. Die kannten das nur vom Hören, wie jeder außerhalb des Ministeriums auch.

Tja, meine persönliche Meinung dazu... In einer solchen Breite, wenn man es im nachhinein erfährt, war es unverantwortlich. Weil eben andere Meinungen – Meinungen, die sich gegen die Staatspolitik gerichtet haben – kriminalisiert wurden. Das ist auch das, was uns heute am meisten angelastet wird. Heute sehen das die meisten anders. Mit einem Mal haben gerade solche Leute das Sagen, die früher als Feinde charakterisiert wurden. Das ist für Menschen, die Jahrzehnte in diesem Apparat tätig waren, äußerst schwer zu verstehen. Auch ich habe nicht verstanden, daß viele am Runden Tisch ihre Meinung über Dinge sagten, von denen sie keine Sachkenntnis hatten, daß Forderungen erhoben wurden, die irreal waren. Im Laufe der Entwicklung hat sich zwar gezeigt, daß beide Seiten, also die Regierung und breite Teile am Runden Tisch, doch einen sprunghaften Lernprozeß durchgemacht haben, so daß sich die Sachkompetenz vergrößert hat. Trotz allem stimme ich nicht mit der Meinung überein, den Geheimdienst gänzlich abzuschaffen.

Ein Wort auch zur gegenwärtigen Politik im Lande: Wir haben nun eine ganz breite Demokratiebewegung. Ich bin aber trotz allem nicht der Meinung, daß in einem demokratischen Staat jeder sagen kann, was er will, und daß das ausufert. Selbstverständlich kann man seine Meinung sagen, man muß gehört werden. Wir müssen sicher lernen, anderen zuzuhören. Das haben wir bisher nicht gemacht. Denn Leute, die nicht voll der Linie der Partei entsprachen, wurden zu Feinden abgestempelt. Das war falsch. Aber wenn ich jetzt die Entwicklung betrachte, was sich so auf dem Gebiet des Rechtsradikalismus, des Neonazismus entwickelt, so bin ich eben der Überzeugung, daß es notwendig ist, etwas dagegen zu tun, und das kann man nur mit konspirativen Mitteln und Methoden.

Natürlich frage ich mich, wie es mit mir persönlich weitergeht. Ich habe wirklich normal gelebt, ich hatte und habe keine übermäßigen Ansprüche. Und jetzt, mit einem Mal, ist eine soziale Unsicherheit da, um die man sich über Jahrzehnte keine Gedanken gemacht hat. Die Welt ist eine ganz andere. Und es fällt sicherlich sehr vielen schwer, sich wieder zurechtzufinden, weil der Einstieg in eine neue Arbeit, vorausgesetzt, man findet eine, für den einzelnen sehr kompliziert ist.

Auch für mich ist es eine große Umstellung, weil ich viele Jahre aus dem Beruf 'raus bin, und meine Befürchtung ist, daß ich nie wieder den Stand erreiche, den ich einmal gehabt habe. Trotz aller Mühen. Ich habe das bereits am eigenen Leibe verspürt. Trotz nachweisbarer Qualifikation in verschiedenen Berufen, auch eines Hochschulabschlusses außerhalb des ehemaligen Ministeriums, wurden mir nur Stellen als Hilfsarbeiter angeboten. Und das ist ein enormer sozialer Abstieg. Den können sich andere vielleicht gar nicht vorstellen. Viele meiner ehemaligen Kollegen haben die erstbeste Stelle genommen, die sie gefunden haben, unter dem Gesichtspunkt, erst mal überhaupt was zu haben, weil ja schlagartig Zehntausende freigesetzt wurden, auch in anderen Bereichen. Und das werden ja auch noch mehr. Bei den Kollegen gab es Verunsicherung. Der eine hört dies, der andere was anderes. Ein objektives Bild konnte sich keiner machen, und insofern wird jedem Gerücht geglaubt. Es kann keiner beurteilen, wie schlimm diese Anfeindungen sind aus der Bevölkerung. Auch bei der Arbeitsuche gegenwärtig habe ich in einigen Kollektiven gesagt bekommen: „Arbeitskräfte brauchen wir, von euch brauchen wir keinen."

Das ist bitter, und ich muß sagen, ich bin froh darüber, daß meine Frau nicht im Ministerium gearbeitet hat. Nicht erst heute, sondern gleich von Anfang an. So blieb mir auch der Blick für das reale Leben erhalten. Ich war nie abgeschottet, und über Jahre hinaus gewöhnt man sich an vieles, so daß es mich auch persönlich nicht gestört hat, wenn schlecht über das MfS gesprochen wurde. Ich glaubte mich im Recht. Und, ich war in Sicherheit. Hört sich komisch an heute? Na ja.

Aber ich bin überzeugt davon, daß ich es schaffen werde, aufrecht zu gehen. Denn das, was ich gemacht habe, kann ich vertreten, kann ich verantworten. Ich weiß, daß es auch nach Recht und Gesetz keine strafbaren Handlungen waren. Aber man ist ja trotz allem damit behaftet, dort gearbeitet zu haben. Ich habe mir also vorgenommen zu zeigen, daß ich nicht nur dort gut arbeiten konnte, sondern das auch anderswo kann. Dort, wo man mich hinsteckt, stehe ich meinen Mann. Hauptsache Arbeit!

Die Revolution
hat für mich was Positives

Gudrun, 37 Jahre,
Zentrale Koordinierungsgruppe

Ich fühle mich jetzt manchmal ziemlich deprimiert, manchmal auch befreit. Es ist nicht einfach, aber es ist irgendwo ein neuer Anfang. Und ich habe die Hoffnung, durch diese Befreiung selbst freier zu sein. Ich selbst. In mir. Weil unser ganzes Leben immer von Zwängen diktiert war. In jeder Beziehung. Wir waren nie frei. Wir konnten nie sagen, ich gehe jetzt dahin und ich mache das, sondern wir mußten uns immer abmelden. Und wenn man mal ein gemeinsames Wochenende hatte, gehörte das fast schon zu den Höhepunkten. Denn immer war irgendeiner im Dienst. Mein Mann war auch bei der Firma.

Der Volkszorn ist meiner Meinung nach irgendwo berechtigt. Unberechtigt finde ich, daß er an uns Kleinen so ausgelassen wird. Denn wir haben ja eigentlich in der Gewißheit gelebt, die vielen Jahre, für das Volk dazusein. Man kann doch nicht sagen, wir haben das aus Selbstbefriedigung getan, sondern wir waren zutiefst überzeugt, alles zum Wohle des Volkes zu tun. Für uns war das Wirklichkeit. Ich hab' das nie als Pflicht angesehen, sondern für mich war das eine Ehre. Die Arbeiterklasse, so wurde uns das gesagt, hätte uns beauftragt, unsere Republik gegen Feinde zu schützen, gegen äußere und auch gegen innere.

Also, äußere Feinde, die sehe ich heute noch. Ein ganz einfacher Mensch ist für mich nie ein Feind gewesen. Aber die Geheimdienste, die wirklichen Militaristen, die es ja noch gibt, die Finanzbourgeoisie, alle diese, die im Prinzip nicht zum Wohle des Volkes tätig sind, das sind für mich die wirklichen Feinde gewesen, und da habe ich auch die Notwendigkeit unseres Organs gesehen.

Die inneren Feinde. Na ja, das ist eine Sache gewesen, die habe ich, als ich noch jung war, durchaus geglaubt. Aber im Laufe der Jahre habe ich gesehen, daß es nicht so sein kann. Und dann hatte man natürlich nur einen Freundeskreis im Rahmen des MfS. Mit anderen Leuten konnte man nicht verkehren, weil gar nicht die Zeit dazu war und die Gelegenheit. Die letzten Jahre habe ich gesehen, daß diese Diskrepanz da war zwischen dem, was in der Zeitung stand, und dem, was man gesehen hat in den Geschäften und draußen überhaupt. Für mich war ein Schlüsselerlebnis in dieser Beziehung eine Kur. Ich habe eine Heilkur gehabt und bin praktisch dadurch das erste Mal mit wildfremden Menschen vier Wochen zusammen gewesen. Mit Menschen aus allen Bevölkerungsschichten. Und die Gespräche mit denen und deren Anschauungen zu allem, zu unserer Republik, ja, das hat mich irgendwo entsetzt, weil ich mir gesagt habe: „Mein Gott, wie denken denn da Leute!" Und die konnten mich überhaupt nicht verstehen, meine Anschauungen und so. Die haben zu mir gesagt. „Sag mal, wie redest du denn? Du redest wie vor hundert Jahren!" Da hab' ich in tiefster Überzeugung gesagt: „Nee, also ich denke, daß ich schon hundert Jahre voraus bin!" Für mich war der Sozialismus was Großartiges. Ja.

Später spürte ich, daß etwas nicht stimmte. Man hat's irgendwo gefühlt, daß da irgendwas nicht richtig war. Und dann die Parteitagsmaterialien. Es war doch immer dasselbe. Aber andererseits haben wir natürlich immer versucht, das zu entschuldigen. Wir haben uns gesagt, auf dem Weltmarkt ist alles teurer geworden, die Republik hat Probleme, wir haben überhaupt keine Rohstoffe. Mein Onkel zum Beispiel, der war als Außenhändler tätig. Der hatte viel Einblick, der reiste in der ganzen Welt umher. Und der hat immer gesagt, die DDR ist ein Land, das macht aus Scheiße Bonbons. Wir haben uns immer entschuldigt. Für uns selbst auch. Uns fehlte aber auch die Möglichkeit, das alles zu überprüfen, was gesagt wurde. In der Zeitung stand alles rosarot, und für uns war alles rosarot, und in den Parteiversammlungen war auch alles rosarot. Irgendwie hat man immer den Drang gehabt, das Ganze zu entschuldigen. Und es geht mir heute noch manchmal so, daß ich denke, die Leute hatten recht. Aber ging's ihnen denn nicht auch gut? Sie hatten die soziale Sicherheit. Sicher hat es dieses und jenes nicht gegeben. Aber wollen wir doch mal ehrlich sein, braucht man denn den Überfluß unbedingt zum Leben? Oder ist nicht das wichtigste, daß man jeden Tag etwas zum Essen hat, daß man sich keine Gedanken machen muß um seine Kinder, daß man weiß, die gehen in die Schule und da passiert ihnen nichts. Ja, und ich hab' dann immer gesagt, als die große Ausreisewelle kam, ich kann das nicht verstehen. Wenn's dem Esel zu gut geht, geht er aufs Eis tanzen!

Als Sekretärin habe ich unter anderem Ausreiselisten geschrieben. Und es wurden ja immer mehr, die wegwollten. Die Genossen mußten Tag und Nacht arbeiten, und die haben sich regelmäßig darüber aufgeregt. Dann wurde von oben gesagt, wir müßten die Ausreisewelle zurückdrängen. Das war die oberste Forderung. Bloß, haben wir gedacht, was können wir denn zurückdrängen, wenn die Ursachen nicht beseitigt sind? Man muß doch erst mal versuchen zu klären, warum die Leute gehen. Wenn man das weiß, kann man doch das System in dem Sinne ändern, und dann werden die Leute auch bleiben.

Aber es war ja gar nicht erwünscht, daß man sich überhaupt darüber solche Gedanken machte. Und wenn man so was laut geäußert hat, wurde man sofort zurechtgewiesen, und man kam ganz schnell in den Ruf, kein Bewußtsein zu haben. Außerdem hatten wir ja dieses Dienstverhältnis, also keinerlei Rechte, sondern nur Pflichten. Dazu die Parteidisziplin! Keine Möglichkeiten also, irgendwo auszubrechen. Doch ich will mich nicht vor der Verantwortung drücken, wir haben ja an das geglaubt, was in den Dokumenten unserer Partei stand, wir haben uns ja drauf ausgerichtet. Verbindung zur Produktion hatten wir nicht. Die Öffentlichkeitsarbeit und die praxisverbundene Arbeit, wie ich das von früher kenne, als wir Arbeitseinsätze gemacht haben in Betrieben, das gab's nicht mehr. Da hatte man durch die praktische Arbeit die Probleme kennengelernt. Seit 1975 gab's das nicht mehr, seitdem unser Pressezentrum abgeschafft wurde. Das hat uns gefehlt. Wir hätten so was gern gemacht. Aber, wie gesagt, wir waren doppelt diszipliniert und hatten keine Gewerkschaft. Wir konnten nirgendwo hingehen, uns wirklich mal aussprechen. Ich selbst bin ein paarmal angeeckt in der Partei und wurde von der Kreisleitung diszipliniert.

Da fällt mir noch was ein in bezug auf Partei. Zum Beispiel war das so, die Genossen hatten seit dieser großen Ausreisewelle immer mehr Fragen. Unsere Leiter konnten sie nicht beantworten. Dann haben wir versucht, es über die Partei nach oben zu geben, weil es ja eigentlich der direkte Weg gewesen wäre. Da kam von unserer Kreisleitung zurück, daß sie kein Ortsauskunftsbüro seien. Also mit solchen Antworten hat man uns abzuspeisen versucht. Und damit ging auch das Bewußtsein, das man hatte, nach und nach in die Brüche. Bekannt war aber „oben" alles. Bestimmt.

Also ich hab' nie Privilegien gehabt. Wir hatten eine Kaufhalle. Da gab's ein Sortiment, das kann man in jeder Kaufhalle kaufen. Das war für die Leute gedacht, die länger arbeiten mußten und keine Zeit hatten, einzukaufen. Wir hatten dort einen kleinen Textilladen, wir haben dazu gesagt „der Juice Shop", der Saftladen. Dort gab's bestimmte Sachen, manchmal ganz annehmbare, aber auch sehr teure, die wir uns als normale Mitarbeiter nicht leisten konnten.

Dazu muß man noch sagen, das waren die Sachen, die in Wandlitz nicht gekauft wurden. Die waren dann für uns gut genug, und dazu mit den überhöhten Preisen. Ich meine, ich' hab sicherlich auch ab und zu was Hübsches gekriegt, hab' mal eine sehr preiswerte schöne Bluse bekommen. Da habe ich natürlich auch zugegriffen. Aber mit zwei Kindern, und die große Wohnung hier ... Außerdem, wir haben uns immer was gegönnt. Wir sind viel ins Theater gegangen, auch mal schön ins Café Bauer, Kaffee trinken und so. Da haben wir praktisch unser Geld ausgegeben, weil wir uns gesagt haben, das bißchen Freizeit, das wir haben, müssen wir uns auch angenehm gestalten können. Das waren unsere Privilegien.

Daß wir nicht schon eher Perestrojka machten, habe ich auch nicht richtig verstanden. Begründet wurde uns das zum Beispiel damit, daß wir das, was Gorbatschow machen will, eigentlich schon haben. Das hat man nicht auf die Offenheit bezogen, sondern mehr auf die wirtschaftliche Entwicklung. Denn, wollen wir uns doch nichts vormachen, von den ganzen sozialistischen Staaten, die es ja jetzt fast nicht mehr gibt, waren wir doch immer noch diejenigen, die am besten gelebt haben. Das ist Fakt, und in dieser Beziehung muß ich den Leuten auch wieder recht geben, wenn sie gesagt haben, wir brauchen Perestrojka nicht, aber Glasnost wäre für uns alle sehr wichtig. Bloß, jede Diskussion darüber wurde im Keime erstickt. Das war nicht erwünscht, und wenn man lange genug sich die Nase plattgedrückt hat an der Wand, die da Leiter hieß, hat man's irgendwann aufgegeben, weil's sinnlos war.

Wir haben zum Beispiel ein Problem, das für die Normalbevölkerung nie so stand wie für uns. Ich habe bis zum Dezember noch nie Westgeld in der Hand gehabt. Also ich konnte in keinen Intershop gehen, ich war nie im Westen, ich habe diese Waren nicht gehabt, ich konnte auch keine Vergleiche ziehen. Ich konnte zwar reingehen und gucken. Aber ich hab's nie kaufen können, obwohl in der Bevölkerung die Meinung existiert, wir wären teilweise in Westgeld bezahlt worden. Ab General vielleicht. Wir haben mit dem Geld, das wir bekommen oder verdient haben, ganz normal gelebt, und da waren keine Privilegien bei.

Ach, wissen Sie, als ich das erste Mal drüben, in West-Berlin, war ... Ich hatte vorher eigentlich Angst, weil es für uns wirklich wie Ausland war. Für mich ist es auch heute noch Ausland. Wir waren seitdem dreimal drüben. Wir sind zwar in die Kaufhallen gegangen, aber wir haben bis jetzt noch nichts gekauft.

Letztens sind wir durch so eine Lebensmittelkaufhalle oder so was gegangen, es war ein Edeka-Laden, wir sind durchgelaufen, und da habe ich mir nur das Wurst- und Brotsortiment angeguckt und habe dann zu meinem Mann gesagt: „Also jetzt sieht man erst mal, wie man uns eigentlich betrogen hat, richtig betrogen." Vor allem, wenn man weiß, daß Honecker und Co. im Prinzip nur vom Westen gelebt haben. Da habe ich gesagt, die haben im kommunistischen Kapitalismus oder im kapitalistischen Kommunismus gelebt, die hatten ihre Luxuswelt für sich.

Aber wollen wir uns mal nichts vormachen, das wußten wir irgendwo. Ich habe früher immer gesagt, wenn die Arbeiterklasse wüßte, was wirklich gespielt wird, würde die auf die Barrikaden gehen. Da hätten wir eine Revolution. Das habe ich aber schon vor vielen Jahren gesagt, denn ich habe selber mal im ZK gearbeitet, im Schreibbüro, ja, und ich habe auch mal für Honecker Briefe geschrieben, zu der Zeit, als er 1. Sekretär wurde. Da habe ich Bevölkerungspost beantworten müssen. Und ich habe diese Entwicklung innerhalb des ZK schon miterlebt, wie die Absonderung von der Masse losging. Zu Ulbrichts Zeiten war ich schon im ZK, und Ulbricht wurde eigentlich von allen sehr verehrt. Als er damals gestorben war, das war ja die reinste Völkerwanderung! Honecker kam an die Macht, und dann ging die Abgrenzung los. Wir gehörten zum Büro des Politbüros, dazu gehörte das Protokollbüro und alles mögliche. Wir erledigten für das Politbüro das ganze Organisatorische und durften damals noch in die zweite Etage, dort saßen die ganzen Politbüromitglieder. Dem wurde dann auf einmal ein Riegel vorgeschoben. Wir bekamen neue Ausweise, ich durfte noch rein wegen der Schreiberei und kriegte so ein Sonderzeichen in den Ausweis. Die anderen durften nicht mehr in die zweite Etage. Was mich am meisten schockierte: die Zimmer wurden vollkommen umgebaut, alles wurde renoviert. Damals war das richtig gutes Holz. Alle hellen Holztüren wurden ausgetauscht gegen dunkle Holztüren, weil Honekker dunkel wahrscheinlich besser fand. Das hat mich damals schon abgestoßen. Alles hat mir dann nicht mehr so gefallen.

Wir hatten dann unsere Tochter und bekamen keinen Krippenplatz, das war ja damals auch schon sehr schwierig, und das ZK hatte nur eine Wochenkrippe. Da wurde ich eigentlich gezwungen, mein Kind in die Wochenkrippe zu bringen, denn mein Mann war damals schon im Ministerium für Staatssicherheit und mußte Schicht arbeiten, er hatte viele Einsätze. Das war einfach kein Leben.

So kurios das jetzt klingt, es war als Lehrling oder als Kind schon mein Ziel, im Ministerium für Staatssicherheit zu arbeiten, als fühlte ich mich irgendwo berufen dazu. Ja, vielleicht durch die Tätigkeit meines Vaters, der selbst dort gearbeitet hat, und ich auch durch Filme geprägt war. Als ich klein war, gab es dieses Testprogramm, jeden Tag einen Film, und wenn ich nach Hause gekommen bin, so um 14.00 Uhr, hab' ich mich hingesetzt und mir diese Filme angeguckt, jeden Tag. *Ein Menschenschicksal, Die fünf Patronenhülsen* und diese ganzen Filme. Nicht so sehr durch meine Eltern, sondern durch diese Filme hat sich bei mir ein Haß gegen den Faschismus ausgeprägt, unglaublich, ja. Ich wollte persönlich was dafür tun, daß dieses nie wieder passieren kann.

Also ich bin dort wirklich hingegangen, um – wie mein Mann auch – zu dienen, was ich in letzter Zeit von einigen Leuten, die zu uns gekommen sind, nicht mehr sagen kann. Die wollten nur Geld verdienen. Das hat für uns damals überhaupt keine Rolle gespielt. Damals gab's auch noch nicht viel. Im Gegenteil, da hat man manchmal weniger verdient als draußen. Aber das ist eine andere Frage.

In den letzten Jahren haben wir gemerkt, die Mitarbeiterzahl war unheimlich gewachsen. Vor drei Jahren habe ich's schon gesagt, mit der Hälfte der Mitarbeiter würden wir diese Arbeiten auch erledigen können. Wir brauchen nicht so viel. Tja, warum? Meiner Meinung nach wurde es übertrieben, wahrscheinlich auch aus der Erkenntnis der inneren Situation heraus, der wachsenden Opposition im Lande. Also, wir mußten zwar Leute einsparen, trotzdem wurden wir mehr. Wir mußten Material einsparen, trotzdem wurden wir mit anderen Techniken ausgerüstet. Aber die Technik, die notwendig gewesen wäre, wurde uns gestrichen, zum Beispiel die gesamte Computertechnik war total unterentwickelt. Ich kenne andere Bereiche von Industriegebieten oder Ministerien, die haben wesentlich mehr Computer gehabt. Da haben wir primitiv gearbeitet. Wir haben im Prinzip Arbeiten mit Menschen gemacht, wo wir hätten Technik einsetzen müssen. Diese Diskussion des Einsparens wurde bei uns sehr stark geführt. Wir waren alle bereit, einzusparen. Wir haben alle eingesehen, die Volkswirtschaft muß gestärkt werden. Das war uns klar. Aber gleichzeitig haben wir gesehen, daß alle drei Jahre neue Autos auf den Hof kamen. Diese Autodiskussion war bei uns sehr stark verbreitet. Fiat, Citroën, alle möglichen Fahrzeuge tauchten bei uns auf, und das haben wir nicht begriffen. Und wenn wir ein Fahrzeug brauchten für bestimmte dienstliche Maßnahmen, dann war keins da. Eine Erklärung dazu gab's nicht. Überhaupt, alles was mit Leitern zusammenhing, also was unsere Chefs betraf, darüber durfte nicht diskutiert werden. Das waren heilige Kühe.

Das Kurioseste ist, jeder redet vom Geheimdienst. Ich muß ehrlich sagen, ich habe mich nie so gefühlt. An sich war das ein Ministerium für Staatssicherheit, und so habe ich das wörtlich empfunden. Ich habe mich nie als Geheimdienst gefühlt. Ich habe auch nie ein Geheimnis daraus gemacht, wo ich arbeite. Nie. Ich hab' auch gar keine Bedenken gehabt, daß ich irgendwas mache, was nicht richtig ist. Im Gegenteil.

Richtig bewußt sind mir die Veränderungen im Ministerium erst geworden, als mein Vater schon eine ganze Weile in Rente war. Er hatte ab und zu noch mal drin zu tun. Er sagte dann: „Also, was da jetzt los ist, in dem Ministerium, das hat's früher nicht gegeben." Und da haben wir dann erst mal nachgedacht. Ja, ein Außenstehender sieht das doch viel eher als einer, der drin ist. Wie man die Kinder selbst nicht richtig wachsen sieht. Man sieht's bloß, wenn man sie 14 Tage nicht gesehen hat, und denkt, ach Gott, der ist ja schon wieder gewachsen. So ist uns das in dem Ministerium gegangen. Wir waren ja da zu Hause, wenn man's so nimmt, und wir haben uns auch immer wie abgesondert gefühlt. Die Eingesperrten in dieser DDR waren eigentlich wir. Wir waren drin, und die anderen waren draußen. Das war regelrecht Zugehörigkeitsgefühl. Wir waren verwurzelt mit unserer Arbeit, und wir haben darin ja auch nichts Unrechtes gesehen.

Natürlich hat mich bewegt, daß so viele wegwollten. Ärzte gingen weg und viele andere. Es wurde uns so begründet, daß es eine gezielte Abwerbung bestimmter Personenkreise sei, und das war auch so. Wollen wir uns doch nichts vormachen! Es wurde über Jahre darauf hingearbeitet, diesen Prozeß zu schüren bei uns, um diese innere Unruhe zu wecken und auch damit die Leute auf die Straße zu bringen. Ich meine, so vernünftig und richtig es ist, wie wir das jetzt sehen – diese Revolution ist für mich durchaus was Positives, weil sie für mich auch irgendwo eine Befreiung gebracht hat – wie soll ich das sagen, auf jeden Fall war uns klar, daß der Feind bestimmte Zielgruppen ansteuerte und er nun das erreicht hat, was er wollte.

Die flächendeckende Überwachung und die Diskriminierung Andersdenkender sind ein Kapitel für sich. Wir kannten diese Leute ja nicht persönlich, wir kannten nicht ihre Ziele. Uns wurde gesagt, was sie wollen, und das mußten wir als gegeben hinnehmen. Aus heutiger Sicht sieht man vieles anders. Es lief ja alles über die Kirche. Und das wurde bei uns entsprechend mies gemacht, ist ja logisch. Heute muß ich ehrlich sagen, wir haben ganz große Fehler gemacht, denn die Kirchenleute sind jetzt die größten Realisten. Überhaupt, die Kirche und unser Anliegen sind ja so weit gar nicht voneinander entfernt. Mein Mann und ich sind Kirchgänger, wir gehen in Kirchen und gehen auch zum Gottesdienst, und das schon Jahre. Die Kirche ist schließlich kulturhistorisches Gut, was man unbedingt kennen muß, und die kirchliche Lehre, obwohl wir sie ja nicht umfassend kennen und uns nur abschnittweise damit beschäftigen, kommt unseren Idealen doch sehr nahe, wenn wir auch mit dem ganzen Drumherum und so nicht viel zu tun haben.

Ich hatte einen Referatsleiter, der war sehr aufgeschlossen und intelligent. Er hat sich viel Gedanken gemacht und war auch sehr realistisch, und deswegen war er eigentlich gar kein guter Leiter in den Augen der höheren Leiter. Einen eigenen Kopf durfte man nicht haben – Denken war nicht erwünscht. Also dieser Leiter hat mal zu mir gesagt: „Was haben wir uns eigentlich eingebildet? Wie können zwei Millionen Kommunisten, die ja noch nicht mal alle welche sind, sechs Millionen Christen sagen, was richtig und was nicht richtig ist?" Und da ist mir erst mal aufgestoßen, daß wir eigentlich eine Minderheit waren. Heute weiß ich, so eine kleine Gruppe da oben, die sich ihren eigenen Kommunismus geschaffen hat, kann doch nicht ein ganzes Volk regieren!

Wir haben ja auch gelernt, was sozialistische Demokratie ist. Und für mich war das, wie es auf dem Papier stand, ganz logisch, und es wäre auch gut gegangen, wenn man's richtig gemacht hätte. Aber das, was gemacht wurde, hatte ja mit dem, was auf dem Papier stand, sehr wenig zu tun. Und deswegen bin ich auch heute noch der Meinung, wenn alles das verwirklicht worden wäre, was wir uns in unseren Programmen vorgenommen haben, wäre das alles sehr schön geworden. Bestimmt.

Deswegen bin ich eben auch noch Mitglied der PDS, weil ich einfach nicht sagen konnte, ich schmeiß das weg, um mich vor der Verantwortung zu drücken. Viele, glaube ich, machen das, weil sie denken, wenn mal einer fragt, oder wenn's darum geht, behalte ich meine Arbeit oder nicht, daß das dann entscheidend ist, ob man PDS-Mitglied ist oder nicht. Bloß, ich sage mir, wenn's Hexentreiben kommt, dann fragt man nicht, bist du Mitglied, dann heißt es, warst du Mitglied. Und ich schmeiß doch nicht meine Überzeugung weg. Das kann ich nicht, auch weil ich mir sage, wie viele Menschen sind gestorben für diese Idee, und die Idee ist gut. Was man draus gemacht hat, war nicht gut, aber die Idee ist gut, und davon gehe ich nicht ab. Für mich ist Kommunismus eine reale Vorstellung. Die ist bei mir auch gewachsen durch utopische Romane. Ich bin ein unheimlicher Fan von Märchen, von alten und auch von neuen Märchen, und ein utopischer Roman ist irgendwo ein Märchen, Zukunftsspinnerei. Da gibt's ein sehr schönes Buch, *Heimkehr der Vorfahren*. Das kann man auch heute noch lesen. Dieses Zwischenmenschliche, diese Entwicklung, die die Menschen durchmachen, und auch die Probleme, die es später noch mal geben wird, das interessiert mich, und irgendwie habe ich mir da meinen Kommunismus zurechtgebastelt. Eine Gesellschaftsordnung, die gerecht für jedermann ist und in der keine Unterschiede mehr gemacht werden.

Unser Fehler war, daß wir unser Volk nicht kannten. Daß wir nicht wußten, was es wirklich will. Ich bin ja auch damals, als ich von der Kur zurückkam, zu meinem Chef gegangen und habe gesagt: „Paß mal auf, so wie wir uns alles denken, ist es nicht. Die Leute draußen denken ganz anders." Ich sagte: „Wir sitzen irgendwo auf so einer rosaroten Wolke mit einer rosaroten Brille, und unsere Chefs haben noch eine viel dickere rosarote Brille und stehen gar nicht mehr im Leben. Wir haben uns schon so weit vom Volk entfernt." Da hat mir mein Chef erklärt, daß ich das ganz schnell wieder vergessen müsse, weil das nicht gut sei, was ich da gesagt habe. Damit würde ich nicht weiterkommen. Na ja. Ich habe nie an Karriere gedacht. Ich habe auch gar keinen Ehrgeiz, nur einen Ehrgeiz, meine Arbeit, die ich mache, immer so gut zu machen, daß ich selber zufrieden bin.

Heute ist für mich nur wichtig, daß die DDR als Staat bestehenbleibt und wir Zeit haben, bestimmte Sachen in Ordnung zu bringen. Dann gebe ich uns die reale Chance, auch unsere Partei des Demokratischen Sozialismus aufzubauen. Aber wenn es wirklich schnell zu einem unmittelbaren Anschluß kommt, haben wir diese Zeit nicht. Und, ehrlich gesagt, ich habe auch Angst, auch persönlich für uns. Denn eins ist Fakt, wir sind jetzt die Prügelknaben, und wir werden dann, so wie die SPD und der Böhme das auch gefordert haben, als kriminelle Organisation eingeschätzt. Was dann passiert, das kann sich jeder an den Fingern abzählen, dann geht's erst richtig los! Und da werden nicht nur die Angehörigen des ehemaligen Ministeriums für Staatssicherheit diskriminiert, sondern dann kommen noch die Parteimitglieder hinzu, dann kommen die hinzu, die mal auf die Straße gegangen sind in Leipzig und sonstwo. Denn die passen denen dann auch nicht mehr. Man merkt es ja jetzt schon, die Leute, die die Wende bewirkten, haben nichts mehr zu sagen. Dem Neuen Forum geb ich keine Chance. Aber das sind die Leute, auf die man zählen müßte, von denen wir im Dezember gesagt haben, jawohl, denen schließen wir uns an! Aber das ist nicht mehr gegeben. Und deswegen sehe ich die Zukunft nicht so rosig.

Irgendwo tut mir unsere ehemalige Greisenregierung leid, weil ich glaube, sie haben bis heute gar nicht begriffen, was sie dem Volk eigentlich angetan haben. Das sind solche alten Männer, daß die das nicht begreifen können. Das sehe ich bei meinem Vater, der ist jetzt Siebzig geworden. Er kam 1950 oder Ende 1949, glaube ich, erst aus der Kriegsgefangenschaft, war dann auf so einer Antifa-Schule und ist danach über 30 Jahre im Ministerium gewesen. Er versucht, heute mit diesem ganzen Prozeß klarzukommen, aber er schafft das nicht. Der zerfleischt sich selbst. Auf der einen Seite versucht er, fortschrittlich zu sein und alle als Stalinisten zu bezeichnen, verfällt aber dann selber wieder in stalinistisches Denken. Die können das gar nicht mehr fassen, was sie getan haben.

Aber nein! Mit Securitate, mit Rumänien können Sie uns nicht vergleichen! Eins ist Fakt: Das Ministerium für Staatssicherheit hätte sich für solche Aufgaben, für massive militärische Unterdrückung einer Volksbewegung, nicht hergegeben. Das kann ich sagen mit reinstem Gewissen, weil wir für das Volk da waren und nicht gegen das Volk. Unsere Ideologie ist nicht darauf ausgerichtet gewesen, das Volk zu unterdrücken, sondern dem Volke zu dienen. Deswegen kann ich mir das nicht vorstellen, daß so etwas hätte bei uns stattfinden können. Eine militärische Niederschlagung der Bürgerbewegung? Nein! Also, ich wäre nie in der Lage gewesen, das zu tun. Vom Inneren heraus wäre es bestimmt zu einer Befehlsverweigerung gekommen. Bestimmt. Wir sind doch keine Söldner gewesen! Und die Stürmung des Ministeriums am 15. Januar 1990 war organisiert und zielgerichtet. Der Mob wurde nur benutzt, sich auszutoben, und indessen wurde, so wie ich das erfahren habe, zielgerichtet ausgeräumt. Ganz zielgerichtet! Das wurde ganz bewußt geschürt. Da steckt unter Garantie der Westen dahinter.

Aber Schwamm drüber. Für mich stand eigentlich fest, mit dem Untergang des Ministeriums für Staatssicherheit hat sich meine Tätigkeit dort erledigt. Ich habe mich nie diesem komischen „Amt" zugehörig gefühlt, das danach gebildet wurde. Ich habe gesagt, ich gehe. Die Abteilung, in der ich gearbeitet habe, war mit dem § 213, den Ausreiseanträgen, beschäftigt. Den gab's nun nicht mehr, also gab's auch meine Abteilung nicht mehr. Wir räumten bloß noch auf und gingen. Viele von uns hatten natürlich die Hoffnung, daß sie dann noch irgendwie in eine Nachfolgeorganisation übernommen werden würden. Für mich war das erledigt. Und wie unsere Leiter mit uns umgegangen sind! Das hat mich so abgestoßen. Da habe ich mir gesagt, das sind nun die Menschen, die jahrelang über dich bestimmen durften, die dir sagen konnten, was gut und was böse ist. Die dein ganzes Leben beeinflußt haben.

Mal noch so ein Erlebnis: Wir hatten praktisch die ganze letzte Zeit Tag und Nacht Bereitschaft. Ich bin jeden Sonnabend zur Arbeit gerannt, und keiner wußte, wie geht's weiter, und keiner sagte mal was. Es war so ein unmöglicher Zustand. Dabei hatte ich mich in den letzten Jahren wirklich manchmal gefragt, wozu machen wir das überhaupt? Wem nutzt das? Ja, und das war auch mit der Grund, warum ich des öfteren gehen wollte. Anderen Frauen ging es ähnlich. Ich bin nicht mehr gern gegangen. Und es hat sich ja spürbar ausgewirkt; ich wurde krank. Bei mir hat sich dieser ganze Druck auf den Bauch geschlagen. Ich habe dann mehrere Operationen gehabt. Die Arbeit war ein richtiger Zwang. Und deshalb fühle ich mich jetzt befreit und habe auch mit dem Kapitel abgeschlossen.

So, und nach der Wende, noch mittendrin, bin ich dann zu meinem Chef gegangen und habe gesagt: „Mensch, bei uns muß was passieren." Wenn ich ein Problem hatte, mußte ich das auch loswerden, ich konnte das nicht so in mich reinfressen. Und ich habe gesagt: „Mensch, wär's denn nicht besser, wenn der Markus Wolf jetzt Minister würde? Dann wäre noch was zu retten! Vielleicht auch für uns." Da hat mein Chef zu mir gesagt. „Na, du mußt doch wohl nicht ganz rund laufen." Ich fragte: „Wieso?" – „Na ja", sagte er, „soll ich das weitergeben, oder was? Wie kannst denn du so was sagen!" Ich sagte: „Na ja, bloß für mich steht fest, der Minister wird vom Volk nicht angenommen. Das Ministerium wird vom Volk nicht angenommen. Vielleicht kann der Markus noch was tun für uns?" –

„Ach, das geht doch nicht", sagte er. Diskussionen wurden immer abgewürgt.

Auf eine Entlassung wollte ich es allerdings nie ankommen lassen! Das wäre wirklich eine Reglementierung gewesen. Deswegen sind wir in gewissem Sinne auch froh, daß so viel geschehen ist. Auch für unsere Kinder ist das jetzt schön. Früher mußte man schon im Kindergarten aufpassen, wenn die einen Freund oder eine Freundin einladen wollten. Dann hat man schon vorher gefragt: Was sind denn die Eltern? Na ja, die kaderpolitischen Probleme mußte man beachten, unsere Kinder durften ja auch nie ins Ausland fahren und so.

Oder mein Bruder zum Beispiel, der war von der 9. Klasse an befreundet mit einer Schulkameradin, und die beiden waren so fest zusammen, daß wir eigentlich damit gerechnet haben, daß sie zusammenbleiben würden. Bis mein Vater mal ihre Papiere einreichte – das war so bei Mitarbeitern der Stasi. Da wurden Überprüfungen gemacht, und dann wurde entschieden von der Kaderabteilung, ja oder nein. Das muß man sich mal vorstellen. So bürokratisch ging das bei uns zu. Ganz schlimm. Und da stellte sich 'raus, daß der Vater dieses Mädchens Grenzgänger gewesen ist, vor 1961. Das hat das Mädchen selbst nicht gewußt, aber es wurde verlangt, daß mein Bruder sich von diesem Mädchen löste. Und das hat er ja dann auch gemacht. Ansonsten hätte sich mein Vater von meinem Bruder lösen müssen. Voriges Jahr noch mußte mein Gynäkologe gehen, das ist wirklich der Fähigste gewesen, ein wunderbarer Mann. Nur: Seine jüngste Tochter hat einen Spanier geheiratet, und aus diesem Grunde mußte der Mann gehen. Und das schlimmste ist, man hat ihn überall schlechtgemacht, daß er gepfuscht haben soll bei Operationen. Dabei hat er mir zweimal das Leben gerettet, also der hat bestimmt nicht gepfuscht. Bei Leuten, die man loswerden wollte, wurde so lange gesucht, bis man irgendwas gefunden hat.

Mein Mann hat Existenzangst. Wenn diese Arbeit, die er zur Zeit ausübt, nicht mehr nötig ist, wird er entlassen. Und ob er jemals wieder eine Stelle kriegt, das wird erst die Geschichte beweisen. Arbeiten kann jeder von uns, und ich glaube, jeder von uns ist an Arbeit gewöhnt. Mein Mann war inzwischen, also Anfang Dezember und Mitte Januar, mit einigen Mitarbeitern im Handel tätig als LKW-Fahrer und hat Kaufhallen beliefert, die haben das Doppelte bis Dreifache von dem geschafft, was die normalen Berufskraftfahrer schafften oder schaffen wollten.

Wenn ich an die Deutsche Post denke, die sich öffentlich rühmt: „Wir stellen keine Stasi-Mitarbeiter ein." – ja, da ist der Beruf meines Mannes erst mal erledigt; er ist Nachrichtentechniker.

Manchmal frage ich mich, ob man uns später überhaupt noch in dieser Gesellschaft haben möchte. Und ich habe so das Gefühl, wenn ich manche Zeitungsartikel lese und manche Reden höre, daß uns was ganz Schlimmes blüht. Und nicht nur uns, als ehemaligen Angehörigen des Ministeriums für Staatssicherheit, sondern auch anderen Berufsgruppen. Dabei denken wir weniger nur an uns selbst. Ich sehe die Gefahr, die da auf uns zukommt, davon sind doch viele betroffen. Alle, die bei uns gearbeitet haben, auch alle, die irgendwo zu der PDS stehen. Also, ich sehe mich nicht alleine, sondern ich sehe einfach, daß die Menschen, die bei uns Gutes wollten, jetzt diejenigen sind, die ganz schlecht dastehen. Und deshalb habe ich auch Angst vor dieser Entwicklung. Ich habe Angst, in einen kapitalistischen Staat geschubst zu werden, denn ich wollte freiwillig niemals im Kapitalismus leben. Nie. Mir hätten die sonstwas bieten können, ich wäre niemals zum Verräter geworden und da rübergegangen. Und jetzt werde ich dazu gezwungen, und das ist das, was mich so krank macht. Wir haben zwar alle die Hoffnung, daß sie uns ja nicht alle rausschmeißen können und alle Stellen mit ihren Leuten besetzen, aber trotzdem. Und deswegen trete ich nicht aus der Partei aus, nur, um mich schützen zu wollen, weil das keinen Sinn hat. Vor allem habe ich Angst um meine Kinder. Um sie habe ich am meisten Angst. Und das schlimmste ist, ich vergleiche das jetzt immer ein bißchen mit der Zeit des Faschismus. Das ist vielleicht ein bißchen drastisch. Aber die Leute, die jetzt in die SPD gegangen sind, wenn die sich einbilden, daß sie verschont werden, wenn es mal ganz kraß kommt. Damals wurde auch kein Unterschied mehr zwischen Sozialdemokraten und Kommunisten gemacht. Und das ist meine Angst, daß solche Zeiten wiederkommen.

Ich war ein Teil,
der zu funktionieren hatte

Hans, 50 Jahre,
Hauptabteilung XX

Wie man mit uns verfährt, das empfinde ich durch und durch als ungerecht. Im großen Rahmen war ja die Lage so, daß dieses stalinistische System DDR eben als System funktionierte, in dem zwar das Ministerium für Staatssicherheit als ein sehr wichtiger und sehr gefürchteter Teil existierte, aber zu diesem System gehörte bedeutend mehr. Es gehörte dazu zum Beispiel eine an Dummheit und Borniertheit nicht mehr zu übertreffende Propaganda- und Medienarbeit. Es gehörte dazu die Erziehung an den Schulen, die die Heuchelei belohnt hat. Es gehörte dazu die Anpassung, die unbedingte Diszipliniertheit vieler Mitglieder der SED, die oftmals auch entgegen besserem Wissen bestimmte Befehle, Weisungen, Anordnungen erfüllt und verteidigt haben, und es gehörten dazu auch ein Staatsapparat und viele andere Mechanismen in diesem Land, die in einer Richtung funktioniert haben, daß eine Gleichschaltung der Gesellschaft erfolgen konnte, daß unbequeme Meinungen unterdrückt werden konnten, auch ohne einen Apparat wie die Staatssicherheit.

Worin liegt nun unsere Schuld?

Man kann heute nicht von Schuld sprechen, etwa im Sinne einer juristischen Schuld, denn die gesamte Arbeit der Staatssicherheit, auch die der Hauptabteilung XX, der politisch-ideologischen Diversion, der Abtei-

52

lung, der man heute versucht, alles in die Schuhe zu schieben, beruhte auf dem geltenden Recht der DDR. Alle repressiven Maßnahmen, die eingeleitet wurden, wurden vorher vom Staatsanwalt rechtlich begutachtet. Aber es gibt eine moralische Schuld insofern, daß die Erkenntnisse über herangereifte Probleme in unserer Gesellschaft, die im großen Umfang auch der Hauptabteilung XX vorlagen, nicht mit Konsequenz umgesetzt wurden in neue notwendige politische Lösungen. Es gab zahlreiche Vorschläge, die aber nicht beachtet wurden, und damit wurde sich dann abgefunden, das heißt, die Rolle, die das Ministerium für Staatssicherheit hätte spielen können bei einer rechtzeitigen Einleitung gesellschaftlicher Veränderungen, bei der notwendigen Herstellung der Einheit von Staat und Volk, wurde nicht wahrgenommen.

Jetzt bleibt: Wir haben permanent die Menschenrechte verletzt, aber die Frage der Menschenrechte ist, glaube ich, doch differenzierter zu betrachten; auch die UNO-Menschenrechtsdeklaration sieht ausdrücklich Einschränkungen der Menschenrechte vor, wenn sie den allgemeinen Interessen der öffentlichen Ordnung widersprechen. Insofern glaube ich, daß auch künftig Einschränkungen von Menschenrechten notwendig sind.

Es ist allerdings so gewesen, daß diese Einschränkungen in unserem Staat in sehr großem Umfang vorgenommen worden sind, der das international übliche Maß weit überschritten hat. Ich möchte hier die Einschränkung der Meinungsfreiheit vor allen Dingen hervorheben und natürlich auch die Einschränkung der Reisefreiheit. Aber alles hat zwei Seiten. Die uneingeschränkte Reisefreiheit, die uneingeschränkte Ausreise zum Beispiel für Ärzte, hätte ja zum Beispiel zwangsläufig auch dazu geführt, daß die Patienten in noch größerem Maße in der DDR im Stich gelassen worden wären, als das bereits der Fall war. Es gab also auch bestimmte moralische Rechtfertigungen, solche Einschränkungen in diesem Maße vorzunehmen. Was die Einschränkung der Meinungsfreiheit, die Einschränkung oppositioneller Kräfte betrifft, so möchte ich darauf hinweisen, daß die wenigen Personen in der DDR, die sich politisch gegen das bestehende System artikuliert haben, in ihrer überwiegenden Mehrzahl – vor allen Dingen, wenn man die führenden Leute dieser Opposition betrachtet – sehr enge Beziehungen zu Personen und Stellen in der Bundesrepublik und in West-Berlin unterhielten und von dort auch in einem Maße gefördert und unterstützt wurden, das sie in den Augen jener, die diese Informationen hatten, zu einem gewissen Grade als Helfer des Gegners erscheinen ließ. So war eine Identifizierung, eine Sympathie für diese Opposition von unserer Seite selbstverständlicherweise nicht vorhanden.

Aus heutiger Sicht stellt sich natürlich vieles anders dar. Aber aus der damaligen Sicht war die Lage ganz einfach so, daß die führende Rolle der SED Grundbestandteil der Verfassung der DDR war. Daß diese Partei von vielen, auch von mir, als Garant angesehen wurde für einen funktionierenden Sozialismus, auch für die Verteidigung des Sozialismus, und daß alle Versuche, diese führende Rolle in Frage zu stellen, politisch-pluralistische Strukturen zu entwickeln, als Angriffe gegen elementare Grundlagen einer sozialistischen Gesellschaft erscheinen mußten, ist ja klar. Diese Betrachtungsweise hat natürlich verhindert, daß eine unvoreingenommene Haltung zu solchen Kräften entstehen konnte. Andererseits möchte ich aber darauf hinweisen, daß auch durch die Hauptabteilung XX und durch die Staatssicherheit insgesamt große Bemühungen vorhanden waren, die bestehenden Strukturen in einer Weise zu vervollkommnen, daß eine bessere Artikulation von Interessen einzelner Bevölkerungsschichten und Gruppen möglich wird, die einerseits den Bestrebungen des politischen Pluralismus die Grundlage nimmt und andererseits zu einer Vervollkommnung der Demokratie hätte führen müssen. Also zum Beispiel eine größere Selbständigkeit der Blockparteien. Die Gewährleistung einer ungehinderten Tätigkeit von Personen, die sich dem Umweltschutz verschrieben haben. Die größere Selbständigkeit der Künstler und Kulturschaffenden bei der Entscheidung über die Herausgabe, den Druck von literarischen Werken und Kunstwerken insgesamt, ohne die Führungsrolle der SED anzutasten. Dazu gab es zahlreiche Ideen und Vorschläge. Sie scheiterten aber an der politischen Umsetzung, sie scheiterten daran, daß vieles in der Politik der SED plakativ geworden war, viele Losungen und Grundsätze, zum Beispiel die immer wiederholte Forderung nach der Vervollkommnung der sozialistischen Demokratie, im Grunde zu Lehrformeln degradiert worden waren.

Ich habe über viele Jahre darüber nachgedacht, was eigentlich die Ursache sein könnte, daß keine offene inhaltliche Auseinandersetzung mit diesen oder jenen uns unangenehmen Auffassungen erfolgte. Es begann eigentlich schon mit den Büchern von Robert Havemann, als sich kein Philosoph, kein Wissenschaftler in der DDR fand, der einen, ich möchte mal sagen, Anti-Havemann schreiben konnte, der sich also in wissenschaftlicher Weise mit diesen Auffassungen auseinandersetzen wollte.

Diese politische Auseinandersetzung, die fehlende wissenschaftliche Debatte über diese oder jene andersartigen Auffassungen hat mich frühzeitig nachdenklich gemacht, und es war meiner Meinung nach einer der grundlegenden Fehler der früheren SED-Führung, daß letzten Endes immer wieder versucht wurde, die Auseinandersetzung, die auf ideologischem Gebiet geführt hätte werden müssen, dem Apparat der Staatssicherheit zu übertragen. Der hat das naturgemäß auf administrative, repressive Weise lösen müssen. Die Zuspitzung dieser Gedanken ergab sich für mich vor allem nach dem letzten Parteitag der SED und auch im Zusammenhang mit den Entwicklungen in der Sowjetunion. Es wurde 1985/1986 in drastischer Weise deutlich, daß die Gesellschaftskonzeption der DDR insgesamt erstarrt war. Niemand in der DDR, der Macht und Einfluß hatte, war bereit, die neuen Gedanken Gorbatschows aufzunehmen, sich ehrlich mit ihnen auseinanderzusetzen.

Die Auseinandersetzung erfolgte in einer Weise, die geradezu unwürdig war. Es wurden fortlaufend Fragen beantwortet, die niemand gestellt hatte. Zum Beispiel wurde fortlaufend erklärt, warum die DDR nationale Besonderheiten haben und nach diesen Besonderheiten eine völlig andere Politik machen müßte. Aber die entscheidende Frage, was von den Entwicklungen in der Sowjetunion allgemeingültigen Charakter hat und was davon in welcher Weise für uns auch automatisch übertragbar hätte sein können, wurde nicht beantwortet. Mich hat das besonders unangenehm berührt, weil ich von Beginn meiner politischen Entwicklung an zu einer tiefen Freundschaft zur Sowjetunion erzogen worden bin und ich eine solche Abkehr von der Sowjetunion, die in wichtigen, in grundsätzlichen Fragen immer wieder als Pionier des Menschheitsfortschritts erschienen war, auch emotional nur schwer verkraften konnte.

Das gipfelte im Verbot des *Sputnik* im November 1988. Es war eine der unsinnigsten Maßnahmen, die überhaupt getroffen werden konnten, und ich kann aus meiner eigenen Tätigkeit bestätigen, daß auch die schlimmsten Hetzkampagnen der anderen Seite keine solchen Reaktionen, vor allem auch unter dem fortschrittlichen Teil der Bevölkerung, ausgelöst haben wie diese Maßnahme. Es gab zum damaligen Zeitpunkt eine Menge an Eingaben. Resolutionen, die vom Unverständnis vieler ehrlicher Menschen in unserem Land sprachen. Die protestierten. Doch zu diesem Zeitpunkt schottete sich die Führungsspitze des Landes noch mehr ab. Gerade damals hätte ich es auch gewünscht, daß sich das Ministerium für Staatssicherheit, eigentlich schon zu einem sehr viel früheren Zeitpunkt, so Mitte der 80er Jahre, zu einem Organ entwickelte, das mit Nachdruck gesellschaftliche Veränderungen forderte. Daß sich das nicht realisieren ließ, lag meines Erachtens daran, daß der größte Teil der Mitarbeiter – vor allem diejenigen, die Macht und Einfluß in diesem Apparat hatten – sich weitgehend opportunistisch angepaßt hatte. Vielfach herrschten schon nicht mehr sozialistische Ideale, sondern die Generalität war korrumpiert durch Privilegien. Ein weiterer Faktor war die Überalterung der Führung, die ja nicht nur beim Minister selbst vorhanden war, sondern sich durch alle leitenden Funktionen zog. Diese Tatsache ließ neue Gedanken kaum zu. Eine sehr verhängnisvolle Rolle spielte in diesem Zusammenhang meiner Meinung nach auch der Parteiapparat im ehemaligen Ministerium für Staatssicherheit. Er war darauf ausgerichtet, jede abweichende Äußerung ideologisch zu diskreditieren. Die Anpassung, die Bedingungslosigkeit der Erfüllung aller Aufgaben, das Unterdrücken jedes selbständigen Denkens wurden institutionalisiert.

Ich selbst bin durch den Parteiapparat für Auffassungen parteierzieherisch zur Verantwortung gezogen worden, die aus heutiger Sicht völlig berechtigt sind, also zum Beispiel für die Äußerung, daß die Medienpolitik der DDR weder gegenwärtigen noch künftigen Anforderungen entspricht. Ich habe diese Äußerung im Januar 1989 auf einem Seminar leitender Funktionäre getan, und das war Ausgangspunkt sehr intensiver Untersuchungen und Reglementierungen, Verdächtigungen, die mir heute noch genauso unverständlich sind wie zur damaligen Zeit. Die Auseinandersetzungen wurden in einer Weise geführt, wie sie damals üblich war. Es wurde nicht über die Probleme gesprochen, sondern darüber, wie überhaupt jemand charakterlich so herabsinken kann, daß er sich klüger dünkt als die Parteiführung. Also, es wurde alles auf charakterliche Mängel abgewälzt, und es wurde auf diese Weise vermieden, auch nur einen klaren Gedanken zum eigentlichen Problem anzusprechen.

Ja, damals wäre es möglich gewesen, daraus die Konsequenzen zu ziehen und zu gehen. Ich habe auch über solche Konsequenzen ernsthaft nachgedacht, weil alles, was damit zusammenhing, sehr entwürdigend war für mich. Aber bei nüchterner Überlegung hätte ein solcher Schritt an der weiteren Entwicklung nichts geändert, und ich habe mich dann letztlich entschlossen, diese Konsequenzen nicht zu ziehen, auch in der Hoffnung, zu einem späteren Zeitpunkt meine Gedanken in klarerer Weise äußern und eventuell verwirklichen zu können. Nun, es kam anders. Total anders. Doch noch ein Wort zur Parteiführung: Ich habe mit Befremden die gegenwärtigen Publikationen von Egon Krenz zur Kenntnis genommen, auch sein Auftreten am Runden Tisch, als er die Rolle der Partei und des MfS als voneinander getrennte Organe darstellte. Nun möchte ich aber nicht die Argumentation umkehren, in dem Sinne, daß einer dem anderen die Schuld zuschiebt. Aber gerade aus der Sicht der Tätigkeit der Hauptabteilung XX war es eindeutig so, daß alle Entscheidungen, die politische und gesellschaftliche Fragen betrafen, dem Parteiapparat unterbreitet wurden und diese Entscheidungen letztlich dann auch im Parteiapparat gefallen sind. Der Apparat von Egon Krenz, zu dem die meisten Vorschläge von uns liefen, kann nicht einfach alles auf den Apparat der Staatssicherheit abwälzen. Es war sogar so, daß gerade die Hauptabteilung XX, auf Grund ihres politischen Charakters, angehalten war, jede Maßnahme der Parteiführung zur Bestätigung zu unterbreiten. Letztlich entschied der Generalsekretär der Partei, ob solche Maßnahmen eingeleitet wurden oder nicht. Die Einengung der Entscheidungsbefugnisse des Ministeriums für Staatssicherheit auf unserem Gebiet ging so weit, daß selbst vorgesehene Ordnungsstrafverfahren gegen politische Gegner der Parteiführung zur Bestätigung unterbreitet werden mußten. Das führte zu sehr paradoxen und kuriosen Erscheinungen. So war es zum Beispiel möglich, daß die bekannte illegale Publikation *Grenzfall* über ein Jahr lang ungehindert erscheinen konnte, weil die Parteiführung keine Entscheidung darüber getroffen hatte, die Publikation durch Einleitung eines Ordnungsstrafverfahrens, wie es von uns vorgesehen war, zumindest erst mal für illegal zu erklären und ihr weiteres Erscheinen auf diese Weise zu unterbinden. Als dann nach über einem Jahr wiederum der Vorschlag unterbreitet wurde, daß nun doch endlich gehandelt werden müßte, wurde durch die Parteiführung ohne besondere Überlegung entschieden, strafrechtliche Maßnahmen einzuleiten.

Die Ergebnisse der Aktion in der Zionskirche in Berlin im November 1987 sind allgemein bekannt. Sie zeigen aber auch aus der internen Sicht der Hauptabteilung XX, wie die sogenannten zentralen Entscheidungen des Generalsekretärs eine auf wissenschaftlichen Grundlagen beruhende – eine auf Analysen beruhende – Sicherheitspolitik fortlaufend sabotiert haben und wie Willkür und mangelnde rechtliche Absicherung dann letztlich durch solche zentralen Entscheidungen zustande kamen. In diesem Zusammenhang möchte ich auch sagen, daß die Vorhaben bestimmter Personen, vor allem aus den Kreisen der Antragsteller auf Übersiedlung in die BRD und nach West-Berlin, im Zusammenhang mit der Demonstration zu Ehren von Karl Liebknecht und Rosa Luxemburg im Januar 1988 dem Ministerium für Staatssicherheit rechtzeitig bekannt waren. Schließlich war zu diesem Zeitpunkt die Opposition mit Leuten, die mit uns zusammenarbeiteten, durchsetzt. Wir waren also bestens informiert.

Dabei wurden natürlich Überlegungen angestellt, wie in diesem Falle zu reagieren sei. Abgelehnt wurde zum Beispiel eine von mir selbst unterbreitete Überlegung, doch vor dieser Demonstration auf einer großen Pressekonferenz das Vorhaben der oppositionellen Kräfte zu publizieren und auf diese Weise Verständnis bei der Bevölkerung für bestimmte Maßnahmen zu erreichen. Es wurde in einem Prozeß sehr intensiver Erwägungen, wiederholter Ausarbeitungen und Vorlagen, an denen ich beteiligt war, eindringlich darauf hingewiesen, die Fehler der Aktion um die Zionskirche, die ja dazu geführt haben, die Staatsautorität zu untergraben, indem Ermittlungsverfahren eingeleitet worden waren, die nach vier Tagen wieder beendet werden mußten, diese Fehler also nicht zu wiederholen und keine Inhaftierungen vorzunehmen. Diese Vorschläge wurden von der Parteiführung ignoriert. Es wurden also repressive Maßnahmen, die ja bekannt sind, in größerem Umfang eingeleitet, und es trat genau das ein, was vorher befürchtet worden war, daß diese Maßnahmen auf Grund der internationalen Proteste die DDR ins Kreuzfeuer der Politik brachten.

Was dann geschah, daß also Personen anstatt der Strafandrohung von 10 Jahren Haft zu einem Studienaufenthalt nach England geschickt wurden, hatte ja mit Rechtsverständnis nun überhaupt nichts mehr zu tun. Es handelte sich um willkürliche politische Entscheidungen, mit denen in die Arbeit der Rechtspflege und Sicherheitsorgane eingegriffen wurde. Es handelte sich also um genau die gleichen sogenannten zentralen Entscheidungen, mit denen in so verhängnisvoller Weise ja auch ständig in die Volkswirtschaft und in andere Bereiche eingegriffen worden war. Also auch das ehemalige MfS war solchen Entscheidungen ausgesetzt. Die eigentliche politische Macht im Lande ging vom Zentralkomitee, vom Politbüro aus.

Trotzdem, das alles ist kein Grund, den Sozialismus zu verdammen. Man sollte erst einmal davon ausgehen, daß die sozialistischen Ideale, eine Welt der sozialen Gerechtigkeit, der Menschenwürde für *alle*, der Gleichheit der Chancen auf den Gebieten der Bildung und der Kultur und vieler anderer Dinge, es wert waren, für sie einzutreten und zu kämpfen.

Bei nüchterner und realistischer Betrachtung muß

man natürlich auch sagen, daß die großen politischen Potenzen, die aus der Befreiung der Menschen von politischer Bevormundung sich hätten ergeben können, in dem stalinistischen Modell nicht zum Tragen kamen. Gescheitert ist der Sozialismus meines Erachtens vor allem an der Unfähigkeit, effiziente Wirtschaftsstrukturen zu gestalten, die den kapitalistischen Wirtschaftsstrukturen überlegen sind. Und es gibt aus meiner Sicht gegenwärtig kein Modell, eine andere Wirtschaftsstruktur auf sozialistischer Grundlage zu entwickeln, die diese Überlegenheit zur Folge hätte. Sicherlich hängt das auch damit zusammen, daß der Versuch, eine sozialistische Gesellschaft zu schaffen, in unterentwickelten Ländern und in Deutschland, in dem schlechter gestellten Teil Deutschlands, begonnen wurde. Sicherlich hängt das auch damit zusammen, daß die Vorstellung, den Sozialismus in einem Lande verwirklichen zu können wie der Sowjetunion, nicht aufgegangen ist, sondern daß wohl eher die Vorstellung von Marx und Engels, den Sozialismus im Weltmaßstab zu verwirklichen, und dann vor allem ausgehend von den am höchsten entwickelten Ländern, hierbei nicht beachtet wurde. Das sind also Überlegungen, die weitergehen als bis zu dem Punkt: Man hätte in der DDR nur rechtzeitig politische Veränderungen einleiten müssen, und dann wäre alles gut geworden. Diese Frage der ökonomischen Effizienz hätte sich früher oder später in aller Härte erneut gestellt. Daraus ergab sich wohl das am bedrückendsten erscheinende Problem der ständigen Abwanderung von DDR-Bürgern in die BRD und nach West-Berlin. Es ist in vielen Untersuchungen und Analysen, die unsererseits in den Jahren vor der Wende objektiv und intensiv betrieben wurden, dargestellt worden. Die wenigsten DDR-

Bürger, die unser Land verlassen haben, haben das aus politischer Gegnerschaft zur DDR oder aus politischer Gegnerschaft zum Sozialismus getan, auch wenn manche, um sich einen günstigeren Start zu verschaffen, sich gern als solche Gegner dargestellt haben. Am deutlichsten wird das wohl jetzt in den letzten Wochen und Monaten, wo die DDR vielleicht zu den freiesten Ländern der Welt gehört, wo es keinerlei Einschränkungen in Reisefreiheit und ähnlichen Dingen mehr gibt. Trotzdem verlassen Zehntausende im Monat unser Land. Jetzt liegen ja nun wahrlich keine politischen Gründe mehr vor!

Also glaube ich schon, daß die ökonomischen Probleme das Entscheidende für das Scheitern des Sozialismus waren. Hierin liegen auch sicher die wichtigsten Wurzeln für den Stalinismus, der bei aller Verwerflichkeit und bei aller Unterschiedlichkeit seiner Praktiken in den einzelnen Ländern ja auch eine Reaktion war auf Unterentwicklung des jeweiligen Landes. Durch Kommandostrukturen, durch absolute Disziplinierung der Gesellschaft, wurde versucht, aus dieser Unterentwicklung herauszukommen. Wenn es uns gelungen wäre, einen Sozialismus zu schaffen, der auf Grund des materiellen Wohlstandes der Bevölkerung die Menschen im Lande gehalten hätte, glaube ich, wäre es vielleicht auch möglich gewesen, den Sozialismus in einem Teil Deutschlands aufzubauen. Viele Dinge, die die brüderlichen und schwesterlichen Beziehungen betrafen, sind künstlich aufrechterhalten worden, von seiten der Politiker, aber auch von seiten vieler Menschen in unserem Lande; Beziehungen aus ganz bestimmten Interessen heraus, die letztlich auch nicht weit entfernt waren vom ökonomischen Interesse. Das hatte ja bei manchem unserer Bürger schon absurde Züge von Bettelei und Unterwürfigkeit angenommen, die mich immer unangenehm berührt haben. Der Stolz auf die eigene Entwicklung, der Stolz auf einen eigenen Weg hätte nur aus ökonomischen Erfolgen, aus Ansehen in der Welt auf Grund solcher Erfolge resultieren können. Insofern hängt das natürlich mit dem Erstgenannten sehr eng zusammen. Aber wäre eine solche Entwicklung überhaupt möglich gewesen? Vieles spricht heute dagegen.

Ich glaube auch, daß die Maßnahmen vom 13. August 1961, so unpopulär sie auch waren, eine damals notwendige und wichtige Rolle spielten für die weitere Existenz der DDR. Der Fehler bestand darin, daß diese Maßnahme von einigen Politikern als etwas Dauerhaftes, als etwas Selbstverständliches für die Zukunft gedacht war. Sie hätte von vornherein als eine provisorische Angelegenheit betrachtet werden müssen, die man in überschaubaren historischen Fristen wieder revidiert, indem man nun im Schutz der Mauer die Zeit nutzt, innerhalb der DDR alles in Ordnung zu bringen. Hätten sich die Menschen mit ihrem Staat identifizieren können, wäre auf diese Weise die Mauer überflüssig geworden.

Aber diese Einsicht hat es meines Wissens in der Führung nie gegeben. Es hat niemals ernsthafte Überlegungen gegeben, die Mauer überflüssig zu machen. Das Politbüro der SED hat sich in den letzten zehn Jahren nicht ein einziges Mal der Frage gewidmet, warum Menschen in zunehmendem Maße Ausreiseanträge aus der DDR stellen oder die DDR auf ungesetzlichem Wege verlassen. Und mir ist unverständlich, wie realitätsfern und ignorierend diese Führung überhaupt Politik gemacht hat. Tja, nun haben wir das Resultat. – Schade.

Was Sie da reden! Mich zur Wehr setzen! Das hätte doch automatisch zur Folge gehabt, daß ich aus dem ehemaligen Ministerium für Staatssicherheit hätte ausscheiden müssen. Ich wäre praktisch an den gleichen Punkt gelangt, an dem ich jetzt bin. Wobei ich sagen muß, daß die Frage des persönlichen Lebens zum damaligen Zeitpunkt für mich nicht so im Vordergrund stand, sondern die noch bestehende Hoffnung, als Mitarbeiter des MfS doch noch bestimmte Veränderungen mit bewirken zu können.

Die DDR war wohl unter den sozialistischen Ländern jenes Land, daß die stalinistischen Willkürakte in der Justiz zum geringsten Teil mit vollzogen hat. Es gibt in der DDR keine Todesurteile auf Grund von Hochverrat. So schlimm die Prozesse gegen Harich und Janka auch waren, sie sind nicht bis zu dieser Konsequenz getrieben worden. Gott sei Dank!

Es müssen auch die 40 000 politischen Gefangenen in der DDR, die jetzt gegenwärtig in den Medien erwähnt werden, einer differenzierten Betrachtung unterzogen werden. Es ist sehr wichtig, sich genau anzusehen, was diesen Personen tatsächlich zum Vorwurf gemacht wurde und was davon als politische Verfolgung zu betrachten ist. Es scheint so, daß heute Tatbestände herangezogen werden als Tatbestände der politischen Verfolgung, die im Vorfeld politischer Delikte lagen.

Ich erinnere hier an den § 220 – „Öffentliche Herabwürdigung". Nach diesem Paragraphen wurden zum großen Teil auch Personen gezählt, die faschistische Äußerungen in der Öffentlichkeit von sich gaben, die Angehörige der Volkspolizei oder Staatsorgane in der Öffentlichkeit in übelster Weise beschimpften und verleumdeten und vieles andere mehr. Hier ist eine sehr differenzierte Einschätzung nötig. Auch wenn solche Delikte in der Folgezeit mit Tatbeständen der allgemeinen Kriminalität gleichgesetzt und verfolgt wurden, so war damit automatisch ein wesentlich niedrigeres Strafmaß verbunden. In vielen Fällen wurde auch mit Geldstrafen oder mit Verurteilungen auf Bewährung und ähnlichem gearbeitet.

Viel schlimmer als die Verurteilungen von Bürgern waren wohl die Folgen für den einzelnen Bürger hinsichtlich seiner beruflichen Perspektive, seiner Ausbildung. Diese Folgen betrafen vor allen Dingen jene Personen, die in ganz bestimmten Bereichen tätig waren. Also im Bereich der Medien, in den Bereichen der Gesellschaftswissenschaften, in Bereichen der Bildung und Erziehung. Dort vorrangig. Sie waren also daran gehindert, ihre Fähigkeiten, ihre Talente, ihre Ausbildung, die sie erhalten hatten, weiter zu nutzen. Schlimm genug ist es, daß eine sozialistische Gesellschaft zu solchen Methoden gegriffen hat und solche Sachen in einer sozialistischen Gesellschaft möglich waren. Aber bei alledem sollte man doch auch die Relation zu anderen Ländern, die von sich behaupten, daß sie die freiheitlichste aller Ordnungen besitzen, nicht ganz außer acht lassen. Ich möchte nur darauf hinweisen, daß allein gegen Personen, die an Aktionen gegen die Raketenstationierung in der BRD 1983 beteiligt waren, insgesamt etwa 5000 Ermittlungsverfahren eingeleitet wurden, die auch heute noch, nach so vielen Jahren und nachdem diese Raketenstationierung überhaupt kein politisches Thema mehr ist, mit größter Akribie abgearbeitet werden. Das sollte man nicht vergessen. Und wenn die Zahl stimmt, die ich neulich gelesen habe, wurden in der BRD von 1951–1961 gegen insgesamt 100 000 Kommunisten Ermittlungsverfahren eingeleitet. Das sollte man mit beachten, wenn hierzulande unentwegt von politisch Verfolgten gesprochen wird.

Ich glaube, es ist langsam an der Zeit, bei Herrn Minister Eppelmann nachzufragen, was denn nun aus seinen doch so zuverlässigen Informationen, wie er sie bezeichnet hat, geworden ist, wonach ein Güterzug mit Akten des MfS in Rumänien bei der Securitate angekommen sei. Diese Information war, aus meiner Sicht, ganz offensichtlich nur darauf berechnet, diese Gleichstellung Securitate – MfS in den Köpfen der Bevölkerung herbeizuführen und damit auch die Grundlage für den Sturm auf die MfS-Zentrale am 15. Januar 1990. Der Vorwurf MfS = Securitate steht einfach im Raum. Aber ich möchte dazu folgendes sagen: Es hat seitens des ehemaligen MfS eine sehr enge Zusammenarbeit mit den Sicherheitsorganen anderer sozialistischer Länder gegeben. Natürlich vor allem mit dem Komitee für Staatssicherheit der UdSSR, mit den tschechischen, polnischen Sicherheitsorganen auf Grund der territorialen Lage, auch mit den ungarischen Sicherheitsorganen, mit den bulgarischen Sicherheitsorganen. Im begrenzteren Umfang mit den Sicherheitsorganen Kubas und Vietnams. Selbst im Zusammenhang mit den Weltfestspielen 1989 wurde erstmalig eine gewisse Zusammenarbeit möglich mit den Sicherheitsorganen der KDVR. Aber es gab in den letzten über 20 Jahren keinerlei Zusammenarbeit mit den rumänischen Sicherheitsorganen. Das hatte den einfachen Grund, daß die rumänischen Sicherheitsorgane seit Mitte der sechziger Jahre in dem Ruf standen, Erkenntnisse von Sicherheitsorganen sozialistischer Länder westlichen Geheimdiensten zugänglich zu machen. Es gab auch Erkenntnisse, daß in Rumänien versucht wurde, Mitarbeiter des MfS bei Touristenreisen in ausweglose Situationen zu bringen, also Verkehrsunfälle, angebliche kriminelle Delikte und ähnliches, sie dann unter Druck zu setzen und für den rumänischen Geheimdienst anzuwerben, zur gleichlaufenden Nutzung für westliche Geheimdienste. Wer also davon weiß, der sollte vorsichtig sein bei der Feststellung, daß es eine enge Verbindung von uns zur Securitate gegeben habe.

Hinzu kommt noch etwas völlig anderes. Der rumänische Geheimdienst ist dafür bekannt, daß er mit sehr rabiaten Mitteln, mit sehr brutalen Mitteln gearbeitet hat. Es war zum Beispiel üblich, Personen zu foltern und durch Folterung zu Geständnissen zu zwingen. Derartige Praktiken, Folterpraktiken, hat es im MfS meines Wissens nie gegeben. Selbst wenn es hier und da eine Schuld geben sollte, weiß ich davon nichts. Solche Praktiken waren ausgeschlossen. Wir waren in gewisser Weise auch stolz darauf, eine relativ humanistische Praxis bei Vernehmungen anzuwenden. Und es gab meines Wissens regelmäßige Berichte, zum Beispiel der amerikanischen Botschaft in der DDR, über die Menschenrechtssituation hierzulande, in der viele Fragen aufgelistet wurden, von der Meinungsfreiheit bis zur Reisefreiheit; aber es wurde in Berichten, zumindest, die ich kenne, stets festgestellt, daß es Folterungen in der DDR nicht gebe und solche Hinweise, die manche DDR-Bürger, die in die BRD übergesiedelt waren und gegenüber Medien geäußert haben, mit Vorsicht zu behandeln seien. Diese Personen wollten sich einen guten Start verschaffen. Nichts weiter. Es ist also so, daß es von der Arbeitsmethode her grundlegende Unterschiede vom MfS zum rumänischen Geheimdienst gegeben hat.

Und ein Letztes zu diesem Thema: Es ist für mich,

der über 30 Jahre in diesem Apparat gearbeitet hat, natürlich deprimierend zu erfahren, daß es Bürger in unserem Land gab, die mit Schaufel und Spitzhacke in unsere Dienststelle eingedrungen sind, zum Beispiel in Kreisdienststellen, um die unterirdischen Gänge auszugraben, die zum Friedhof führen sollten, oder die unterirdischen Geschosse noch unter den Kellern zu suchen, in denen angeblich die Folterkeller der Staatssicherheit sein sollten. Ich möchte hier nur an den gesunden Menschenverstand appellieren, daß es in unserer kleinen DDR überhaupt nicht möglich war, daß irgend jemand verschwinden konnte, ohne daß das bekanntgeworden wäre und ohne daß sich dann nicht einige pfiffige Westjournalisten der Sache angenommen hätten. Solche Fälle wären mit absoluter Sicherheit aufgedeckt worden. Da das also nicht der Fall war, gab es so etwas auch nicht. Es ist erschreckend, mit welcher Einfalt und Primitivität von Leuten, die zum großen Teil vielleicht niemals mit unseren Organen konfrontiert worden waren, über Arbeitsmethoden des MfS geurteilt wurde.

Ich bedaure sehr, daß nicht gleich nach der Wende ein Aufruf an die Bevölkerung ergangen ist, daß sich alle Personen, die glauben, durch die Tätigkeit des ehemaligen MfS persönliche Nachteile erlitten zu haben, melden sollen. Und daß alle diese Fälle in größter Objektivität untersucht werden sollen. Das ist nicht geschehen. Leider. Es hätte sich nämlich anhand der tatsächlich erfolgten Meldungen herausgestellt, daß der Kreis der Personen, der Verfolgungen durch das MfS ausgesetzt war, bedeutend kleiner ist, als es allgemeinhin angenommen wird. Außerdem hatte nicht jede Einschränkung eines Bürgers in unserem Land automatisch Aktivitäten des ehemaligen MfS zur Ursache. Es ist ja sicher auch vorgekommen, daß Personen aus bestimmten Funktionen entfernt worden sind nach Parteiverfahren und ähnlichem, mit denen das ehemalige MfS nun absolut nichts zu tun hatte. An der Relegierung der Ossietzky-Schüler, die in aller Offenheit untersucht wurde, war die Staatssicherheit in keiner Weise beteiligt, und ich kann aus meiner internen Sicht noch dazu ergänzen, daß es seitens des ehemaligen MfS, seitens der Hauptabteilung XX, Einwände gegen eine solche Maßnahme gegeben hatte. Aber im Bereich der Volksbildung hat nun mal eindeutig jemand anders geherrscht. Und nach dieser Herrschaftsstruktur ist das dann so abgelaufen.

Natürlich, die flächendeckende Überwachung gab es! Wer die Struktur des ehemaligen MfS betrachtet, wird ja erkennen, daß für jeden gesellschaftlichen Bereich operative Diensteinheiten des ehemaligen MfS zuständig waren. Die Struktur war so ausgerichtet, daß die gesamte Gesellschaft de facto unter Kontrolle stand. Das war Ergebnis einer Sicherheitsdoktrin, die getragen war von Mißtrauen gegen das Volk, die darauf gerichtet war, mit den spezifischen Mitteln der Geheimdienstarbeit alles, was in der Gesellschaft vorging, noch mal zu überwachen. Aber es wäre eine unzulässige Vereinfachung, nun davon auszugehen, daß diese flächendeckende Überwachung identisch ist mit der politischen Überwachung und Verfolgung. Aus einem übersteigerten Sicherheitsbedürfnis wuchsen umfangreiche Arbeiten dieses ehemaligen MfS, die nichts anderes zum Anlaß hatten, als sich der Loyalität der Bürger im Zusammenhang mit dem Erfüllen bestimmter Aufgaben zu versichern. Wenn also das Bürgerkomitee, das für die Auflösung des Zentralen Amtes verantwortlich ist, festgestellt hat, daß zu etwa 6 Millionen DDR-

Bürgern Daten gesammelt wurden, dann betrifft der größte Teil dieser Sammlungen keine Unterlagen, die mit der politischen Verfolgung, der politischen Bespitzelung von DDR-Bürgern, zusammenhängen. Es wurden nach einem breit gefächerten System große Gruppen der Bevölkerung daraufhin überprüft, ob sie aus der Sicht der Realität zum sozialistischen Staat bestimmte Aufgaben auch erfüllen können.

Ich erinnere zum Beispiel daran, daß sämtliche Auslands- und Reisekader überprüft wurden, sämtliche Geheimnisträger, sämtliche Personen, die in irgendeiner Weise im grenzüberschreitenden Verkehr eingesetzt wurden. Sämtliche Kraftverkehrs- und Transportunternehmen sowie die Hochseeschiffahrt. Ich erinnere an Personen, die im diplomatischen Dienst eingesetzt wurden. Auch die große Personengruppe der Angehörigen der Grenztruppen und das ganze Offizierskorps der NVA gehörten dazu. Aus diesen massenhaft geführten Sicherheitsüberprüfungen ergab sich logischerweise die Ansammlung einer solchen Fülle von Akten und Unterlagen. Der überwiegende Teil dieser Sicherheitsüberprüfungen endete mit der Bestätigung des Einsatzes solcher Personen für ihre entsprechende Aufgabe. Wenn ich das mal auf ein einziges Problem zurückführe, auf die Bestätigung von Auslands- und Reisekadern, mit der ich auch persönlich in meinem Verantwortungsbereich zu tun hatte: Weit unter ein Prozent der Personen kamen durch Einwände des MfS nicht zum Einsatz. Also die überwiegende Masse der Personen, die vorgeschlagen war, wurde auch bestätigt. Und in zunehmendem Maße spielten sicherheitspolitische Bedenken eine immer geringere Rolle. Entsprechend unserer Struktur bestand auch die Zuständigkeit für Reise- und Auslandskader im kulturellen Bereich.

Auf diesem Gebiet wurden immer mehr Kompromisse gemacht, so daß teilweise manches Bestätigungsverfahren nur noch formalen Charakter hatte. Es war ja auch gar nicht möglich, zum Beispiel eine Kulturinstitution wie das Berliner Ensemble oder das Deutsche Theater zu einem Auslandsgastspiel reisen und in größerem Umfang Personen nicht mitfahren zu lassen. Es handelte sich ja immer um eingespielte Kollektive, die aufeinander angewiesen waren. Selbst wenn einer darunter war, der sich abfällig geäußert hatte, einmal zur Politik der Partei, oder der im Wohngebiet sich als Gegner des Sozialismus zu erkennen gegeben hat oder was, selbst dann mußte wirklich gründlich überlegt werden, wo der Schaden größer war. Indem man ein ganzes Ensemble daran hinderte, öffentlich aufzutreten, oder die Sache mit dieser einzelnen Person nicht in den Vordergrund stellte. Aber es gab viele zuständige staatliche Leiter, die sich auch gerne hinter Entscheidungen des ehemaligen MfS versteckten, das MfS sogar vorschoben. Es war doch sehr einfach, hier die graue Eminenz zu spielen. Also nicht alles, was in diesem Zusammenhang an Reisekadern und Auslandskadern abgelehnt wurde, ist ein Ergebnis der Tätigkeit des ehemaligen MfS.

Ich glaube nicht, daß die flächendeckende Überwachung erst Anfang der achtziger Jahre zum Tragen kam. Meines Wissens hat der verstorbene frühere Staatssekretär im Ministerium für Staatssicherheit, Generaloberst Bruno Beater, schon in den fünfziger Jahren Konzeptionen entwickelt, daß das Ministerium so ausgestaltet werden solle. Alle gesellschaftlichen Bereiche sollten dadurch kontrolliert werden. Die Struktur des ehemaligen Ministeriums für Staatssicherheit, wie sie ja mittlerweile offengelegt ist, hat sich ja auch so entwickelt. Und nicht erst seit den achtziger Jahren. Richtig ist, daß mit der Berufung von Erich Mielke, zunächst als Kandidat, später als Mitglied des Politbüros, und mit der daraus resultierenden größeren Einflußmöglichkeit auf Entscheidungen der Parteiführung, der Weg frei wurde für die auch von uns schon vor der Wende so empfundene, völlig unnötige, unsinnige Aufblähung des Sicherheitsapparates. Das widersprach jeder Vernunft und jedem ökonomischen Prinzip. In dem Maße, wie sich dieser Apparat ständig erweiterte, wuchs natürlich das Potential für diese flächendeckende Überwachung. Wobei man natürlich andererseits sagen muß, daß diese Aufblähung des Apparates zum großen Teil effektivitätsmindernd war, daß also immer größere Teile dieses Apparates sich mit sich selbst beschäftigt haben, sich gegenseitig Konkurrenz machten. Oder daß auch vor allem Bereiche ausgebaut wurden, die am Ende keinerlei höhere Sicherheit für dieses Land bringen konnten. Die Abteilungen bewachten sich untereinander.

Die ganzen Sicherheitsüberprüfungen haben natürlich in der Perfektion die Mitarbeiter des ehemaligen MfS und ihre Familien genauso betroffen. Es war üblich, daß nicht nur der Mitarbeiter selbst, nicht nur seine unmittelbaren Angehörigen, sondern auch Angehörige zweiten Grades auf Zuverlässigkeit überprüft wurden, bevor ein Mitarbeiter eingestellt wurde. Alle wurden mit größter Akribie überprüft. Ich habe als Leiter einer Arbeitsgruppe veranlaßt, daß alle Mitarbeiter, die Kenntnis von Westkontakten in ihrer Verwandtschaft hatten, Stellungnahmen abgaben. Ich mußte dann als Vorgesetzter selbst noch eine Stellungnahme dazu abgeben, und dann wurde das Ganze noch einmal überprüft durch die Hauptabteilung Kader und

Schulung. Die Abteilung Kader und Schulung beschäftigte immerhin mehr als 4000 Mitarbeiter. Sie sehen, daß hier ein riesiger Apparat beschäftigt war. Es gab dann auch eine ganze Reihe Lockerungen, die Verwandten betreffend. Also 1988 zum Beispiel war es dann schon möglich, daß Verwandte, die nicht zum Haushalt gehörten, reisen durften, wenn die anderen Voraussetzungen für solche Reisen vorlagen. Es war auch möglich, was in früheren Jahren undenkbar war, daß Angehörige als Auslandskader eingesetzt werden konnten, auch im nichtsozialistischen Ausland. Hier gab es also eine ganze Reihe von Lockerungen, aber die haben nicht dazu geführt, daß der riesige Überwachungsmechanismus in irgendeiner Weise reduziert wurde, sondern im Gegenteil, er wurde fortlaufend perfektioniert ...

Wir hatten über viele Jahre, auch nach 1985, sehr enge Arbeitskontakte und persönliche Kontakte zu Angehörigen des KGB der UdSSR. Sie haben uns überzeugend erläutert, daß sie voll hinter den revolutionären Veränderungen in der Sowjetunion stehen und haben uns das auch begründet. Zum Beispiel, daß die Zulassung sogenannter oppositioneller Gruppen einen riesigen Apparat einspart, um Auffassungen, Meinungen und politische Haltungen von Menschen zu erkunden, weil sie dann in der Öffentlichkeit geäußert würden und jeder davon Kenntnis hätte. Der KGB der UdSSR, speziell die Abteilung 5, die unsere Partnerabteilung war, hat sich dieser Entwicklung angepaßt. Der erste Schritt dieser Anpassung war, daß sich die Hauptabteilung 5, die ursprünglich ähnliche Aufgaben hatte wie unsere Hauptabteilung, gewandelt hat in eine Verwaltung zum Schutz der verfassungsmäßigen Ordnung in der UdSSR und sich heute in ihrer Arbeit ausschließlich darauf orientiert, Personenzusammenschlüsse, die die Grundlagen der sozialistischen Verfassung der UdSSR untergraben wollen, zu bekämpfen. Das ist uns von den Genossen des KGB so geschildert worden.

Natürlich haben sie uns auch ihre Sorgen mitgeteilt über bestimmte Entwicklungen in der UdSSR selbst, was vor allen Dingen das Aufbrechen nationalistischer Konflikte betrifft. Hier war auch eine sehr große Sorge spürbar, daß die neu gewonnenen Freiheiten in der UdSSR nach hinten losgehen könnten. Aber es gab zu keinem Zeitpunkt den Versuch, die Entwicklung der UdSSR auf die DDR übertragen zu wollen. Es wurde strikt das Prinzip Gorbatschows eingehalten, daß die Genossen in der DDR den Weg ihrer Entwicklung selbst bestimmen müssen. Und mir ist bekannt, daß es einmal den Versuch gab, einen leitenden Mann des KGB auftreten zu lassen, speziell zur Thematik der Umgestaltung in der Sowjetunion. Er hat zwar gesprochen, aber in einer Weise, die vermieden hat, Vorschriften für uns daraus ableiten zu müssen. Doch es wäre den Angehörigen des KGB sicher möglich gewesen, auf Grund der engen, herzlichen Verbindung, die zu ihnen bestand, die Mitarbeiter des MfS für diese oder jene Politik zu mobilisieren, wenn nicht gar zusammenzuschließen. Das ist nicht erfolgt. Eine verpaßte Chance. Das MfS wurde in zunehmendem Maße starrer.

Doch wir haben immer die Lage so dargestellt, wie sie wirklich war. Es ist in vielen Fällen nachweisbar. Daß daraus keine Schlußfolgerungen gezogen wurden, daß das nicht ernst genommen wurde, hat eindeutig die Parteiführung zu verantworten. Ich glaube auch nicht, daß sich selbst Mielke mit seinen 82 Jahren Illusionen über die Lage im Lande gemacht hatte. Das Entschei-

dende war ja, daß die Konsequenz, die Schlußfolge-
rung, die aus dieser Lage zu ziehen gewesen wäre, als
politische Entscheidung letztlich der Parteiführung
überlassen wurde und demzufolge diese politischen
Entscheidungen nicht getroffen wurden, da unser Politbüro weitab vom wirklichen Leben existierte. Natürlich war die Vergreisung, die Verknöcherung, die ja mit
zunehmendem Alter vielleicht auch verständlich ist,
schon seit langem auch in unserem Ministerium spürbar. Im Grunde hat in dem ehemaligen MfS, was die
Führungspositionen betrifft, überhaupt kein Genera-
tionswechsel stattgefunden. Die meisten der führenden
Leute haben ihre Führungspositionen in den fünfziger
Jahren besetzt. Sie haben mit der ständigen Ausdehnung und Aufblähung des Apparates immer mehr
Macht bekommen, und es stand für sie nicht zur Debatte, in irgendeiner Weise diese Macht an Jüngere
oder andere zu übergeben. Zumal diese Macht, natürlich ab bestimmten Ebenen, zu denen ich allerdings
nicht gehörte, die oberhalb meiner Position losging,
auch mit Privilegien verbunden war, auf die niemand
gern verzichten wollte.

Ich hatte ein einziges Privileg als Abteilungsleiter:
Ich durfte einen Dienstwagen benutzen für die Fahrt
von und zur Arbeit, als Selbstfahrer. Dafür hatte ich das
Privileg, von meinen Mitarbeitern täglich die längste
Arbeitszeit zu haben. Ich habe nach der Wende meinen
Mitarbeitern angeboten, darüber abzustimmen, ob
man mir dieses Privileg der Benutzung des PKW von
und zur Arbeit beläßt. Sie haben mich ausgelacht, weil
sie das gar nicht für ernst genommen haben.

Die Privilegien im ehemaligen MfS begannen bei
der Funktion des stellvertretenden Hauptabteilungs-
leiters und setzten sich fort zu den Hauptabteilungslei-

tern, den Leitern selbständiger Abteilungen, die Hauptabteilungen gleichgestellt waren, den Stellvertretenden Ministern, dem Minister. Diese Funktionäre hatten dann personengebundene Fahrer zur Verfügung. In der Regel sogar mehrere PKW westlicher Produktion. Ich hatte als Dienstwagen einen Wartburg.

Sie hatten die Möglichkeit, Sonderläden für ihre Versorgung zu nutzen, die auch mit Produkten westlicher Herkunft ausgestattet waren, in denen es dann keine Versorgungsschwierigkeiten gab. Sie hatten weiterhin die Möglichkeit, sich gesonderten medizinischen Untersuchungen zu unterziehen, und wurden regelmäßig vom medizinischen Dienst betreut, was teilweise auch berechtigt war, weil die Arbeitsintensität in diesen Funktionen tatsächlich sehr hoch war. Sie hatten die Möglichkeit, sich in Exklusiv-Ferienheimen zu sehr kulanten Preisen zu erholen, in besonderen Chef-Heimen innerhalb des Landes, die nur ihnen vorbehalten waren. Diese Heime standen dafür die größte Zeit im Jahr frei, damit man sich ja kurzfristig entschließen konnte, seinen Urlaub anzutreten. In diesem Umfeld etwa lagen die Privilegien.

Natürlich, die Hauptdiskussion von Mitarbeitern richtete sich gegen die Westautos. Auch aus meiner Sicht, das war natürlich eine Perversion! In Zeiten, in denen die DDR Valutamittel beschneiden mußte für den Import von Medikamenten, wurden bei uns keinerlei Einschränkungen gemacht. Aber eine Prinzipien-Diskussion hätte nur damit enden können, daß der Mitarbeiter die Konsequenzen zog und ging. Hier gab es eine echte Disziplinierung, und es wurde natürlich auch versucht, alles zu rechtfertigen. Die Privilegien sollten auch nicht publik werden. Bis zu solchen idiotischen Begebenheiten, daß der hauptamtliche Parteisekretär, der für mich zuständig war, bei einem Treff mit FDJlern auf die Frage, ob es solche Sonderläden gäbe, wider besseres Wissen, obwohl er dort selbst eingekauft hat, erklärte, daß er solche Sonderläden nicht kenne. Aber wenn jemand lange genug in diesem Apparat arbeitete, dann war er informiert. Insofern sind für mich auch die Enthüllungen über die Privilegien der Parteispitze nicht so überraschend gekommen. Für mich war schon lange klar, daß die Parteispitze den Kommunismus für sich schon verwirklicht hatte. Besonders bedrückend war in diesem Zusammenhang die Tatsache, daß solche Vorrechte und Privilegien auch auf Familienangehörige übertragen wurden, also Personen in den Besitz solcher Privilegien gekommen sind, die in keiner Weise Anspruch darauf gehabt hätten.

Ich habe mich innerlich noch nicht gelöst von meiner Arbeit. Das kann man wahrscheinlich nie, wenn man so lange in seinem Leben mit einer Aufgabe beschäftigt war.

Ich habe ein sehr zwiespältiges Gefühl. Es war für mich natürlich ständig eine Streßsituation insofern, daß ich über mein eigenes Leben, über meine eigene Tätigkeit nur bis zu einem bestimmten Grade entscheiden konnte. Ich war ein Teil dieses ehemaligen Ministeriums, der zu funktionieren hatte. Ich konnte mir zum Beispiel niemals vornehmen, an einem Wochenende etwas Persönliches zu unternehmen, ohne nicht gleichzeitig in Rechnung zu stellen, daß vielleicht doch etwas dazwischenkommt. Ein Anruf hätte genügt, um sämtliche Pläne zunichte zu machen. Selbst im Urlaub war ich vor irgendwelchen Überraschungen nie gefeit, ich mußte nicht nur einmal meinen Urlaub abbrechen. Die ständige Einsatzbereitschaft, die gefordert wurde, war das belastendste an diesem Ministerium, und es war frustrierend, die Entwicklung des Landes beobachten zu müssen, ohne letztlich etwas verändern zu können. Ich hatte ja die Einstellung, daß ich mich automatisch für alles, was in diesem Lande passierte, mitverantwortlich fühlte. Ich habe nächtelang damit zugebracht, mir Gedanken darüber zu machen, welches die Ursachen sind für das ungesetzliche Verlassen der DDR durch die Ärzte. Ich habe immer wieder Lösungsvorschläge gemacht, wie man diese oder jene Sache verändern könnte, zum Besseren verändern könnte, auch in politischer Richtung. Nur wenig davon ist zum Tragen gekommen. Leider. Ich muß ehrlich sagen, daß aus der heutigen Sicht mich die hohen Zahlen der Übersiedlung der DDR-Bürger in die BRD bei weitem nicht so belasten wie die Zahlen, mit denen ich früher konfrontiert wurde. Denn ich fühlte mich verantwortlich, etwas dagegen zu tun. Diese Verantwortung ist von mir genommen. Ich kann nun als Außenstehender beobachten. Ich bin nicht mehr in dieses System eingebunden, ich fühle keine Verantwortung mehr für diese Entwicklung.

Es ist vielleicht nicht die ganze Wahrheit, was ich hier sage. Aber ich kann mich heute in die Position anderer schon hineinfinden, die über viele Jahre hinweg als Außenstehende unsere Entwicklung verfolgt haben und mitunter dadurch nur das Negative feststellen konnten. Aber ich habe keinen psychischen Druck gefühlt, keine Schuld, was die Verfolgung von DDR-Bürgern betrifft, weil sie, zumindest aus dem Bereich, dem ich angehört habe, keineswegs diese Ausmaße hatte, wie sie allgemein vermutet werden. Die Personen, die im Blickpunkt unserer Arbeit standen – es waren etwa 2500 Angehörige von verschiedensten Oppositionsgruppen, die sich fast ausschließlich im kirchlichen Bereich gebildet hatten –, sind ja keiner absoluten Repression unterworfen worden. Im Vordergrund aller Überlegungen und Bestrebungen stand, mit politischen Mitteln diese Personenkreise zu isolieren, sie daran zu hindern, politisch-pluralistische Strukturen in der DDR zu schaffen oder diese Strukturen zu festigen und zu erweitern. Vieles blieb in den Anfängen stecken, so zum Beispiel die Einbeziehung kirchlicher Gruppen in Fragen der Erhaltung und des Schutzes der natürlichen Umwelt oder die Entscheidung, inwieweit ein Dialog mit solchen Gruppen zu führen sei. Diese Frage war bis zuletzt nicht entschieden, obwohl von meiner Seite dazu Vorschläge unterbreitet worden waren.

Es gab auch andere Lösungsmodelle und Vorschläge hinsichtlich der gesamten Politik in Kirchenfragen. Wenn ich hier zurückblicke auf die guten Ansätze dieser Politik im Zusammenhang mit den Luther-Ehrungen! Da war diese Politik zum großen Teil mit von dem ehemaligen MfS, mit von unserer Hauptabteilung getragen. Sie ist zunichte gemacht worden mit der Einsetzung des Politbüromitglieds Jarowinsky für diesen Bereich. Was danach als Politik in Kirchenfragen bezeichnet wurde, war der absolute Schwachsinn. Das war keine Politik mehr, sondern der Versuch, die Kirchen zu disziplinieren – zu einem Zeitpunkt, wo gerade die Kirchen in sehr deutlicher Weise auf die reale Situation im Lande hingewiesen haben! Also das heißt, man war verschnupft über solche klaren Worte und versuchte, sich an der Kirche abzureagieren.

In einem Gespräch mit Erich Honecker hatte Landesbischof Leich seine Loyalität zur sozialistischen DDR bekundet, daß aus seiner Sicht die sozialistische Gesellschaft die sozial gerechtere Ordnung sei. Er hatte aber gleichzeitig angemahnt, daß die DDR sich bestimmten Problemen im Inneren stellen müsse, und im Vordergrund das Problem der Antragsteller auf Übersiedlung genannt. Viele Menschen ohne jegliche religiöse Bindungen hatten sich aus diesem Grunde der Kirche zugewandt, um dort eine Basis zu haben. Erich Honecker hat sich in diesem Gespräch von Leich brüskiert gefühlt. Er hat intern geäußert, daß Leich falsch sei. Er hatte wohl erwartet, Leich würde vor ihm dienern und seine Größe in der Politik noch mal bestätigen. Leich hat oft versucht, diplomatisch und vorsichtig Probleme zur Diskussion zu stellen, die ja auch tatsächlich zur Diskussion standen. Doch er stieß auf taube Ohren. Und aus dieser Situation, aus dieser persönlichen Verärgerung, ergab sich dann die ganze Zuspitzung, die schädlich für die Politik im eigentlichen Sinne war. Die kleinliche Zensierung von Kirchenzeitungen und alles, was dann folgte, war der Versuch, der Kirche zu zeigen, wer die Macht im Staate hat. Aber ohne Sinn und Verstand! Ohne tatsächlich noch mit dem Leben verbunden zu sein.

Zurück zu Jarowinsky: Er hat die Kirchenpolitik auf das Niveau von Handel und Versorgung gebracht, für die er vorher zuständig gewesen war. Nach der Wende war für mich völlig unverständlich, daß er Mitglied des Politbüros blieb! Er war sogar noch Stellvertretender Volkskammerpräsident! Aber er hat die Abstimmung sicher überstanden, weil er persönlich so farblos war, daß sich unter ihm niemand etwas vorstellen konnte. Er war weder im Guten noch im Bösen mit irgend jemandem zusammengeraten. Er hatte nur diszipliniert das ausgeführt, was Honecker von ihm gefordert hat. Am meisten Abscheu hat er davor gehabt, eigene Entscheidungen zu treffen. Das war auf dem Gebiet der

Kirchenpolitik nachvollziehbar, wie er sich um jede herangereifte Entscheidung gedrückt hat. Er hatte auch später nichts begriffen. Selbst nach der Wende, als Krenz schon die Geschäfte übernommen hatte, so wurde mir berichtet, rief Jarowinsky die Stellvertreter des Ministers für Handel und Versorgung zu sich und eröffnete die Beratung dort mit den Worten: „Nun, Genossen, wo brennt's denn eigentlich in der Versorgung in der DDR?" Also ich hatte ja bis dahin die Illusion, daß ein Mann, der für Handel und Versorgung zuständig ist, sich Tag und Nacht mit nichts anderem beschäftigt als mit der Versorgungssituation. Es war doch ganz offensichtlich so, daß er – wie alle anderen – die Versorgungssituation in der DDR an seiner eigenen Versorgungssituation gemessen hat. Und das ist das Frappierende hierbei. Was konnte ein solcher Mann überhaupt bewirken? Na ja. Vielleicht schläft er jetzt unruhiger.

Ich akzeptiere heute, daß letztlich die Bevölkerung entscheiden muß, was in diesem Land passiert. Ich kann keine Ansprüche geltend machen. Was meine jetzige Lage betrifft, so bin ich erst einmal froh darüber, daß ich überhaupt Arbeit habe. Die schlimmsten Wochen für mich waren Wochen der Ungewißheit, eine Arbeit zu finden, in der man in irgendeiner Weise nützlich ist. Meine ganze Ausbildung bot ja keinerlei Grundlagen für irgendeine qualifizierte Tätigkeit außerhalb der Arbeit, die ich bis jetzt gemacht habe. In meinem Alter lohnt es sich nicht mehr, eine völlig neue Berufslaufbahn zu beginnen, weder für mich noch für die Gesellschaft. Es geht mir darum, daß ich eine Tätigkeit habe, die mir die Existenz sichert, die mir ein weiteres Leben in diesem Land überhaupt möglich macht. Zwar mit vielen Einschränkungen; das trifft mich allerdings nicht so hart, da ich auch über viele Jahre hinaus unter Bedingungen und Verhältnissen gelebt habe, wo Sparsamkeit obenan stand. Früher haben wir sehr wenig verdient. Die letzten Jahre war es sehr gut, ja. Die Besserstellung der Mitarbeiter dieses Ministeriums ist erst in den achtziger Jahren eingetreten.

Doch zurück zu meiner gegenwärtigen Situation. Ich bin durchaus der Auffassung, daß es auch für mich Möglichkeiten einer politischen Betätigung geben kann, wo mir meine Erfahrungen und Kenntnisse zugute kommen. Ich bin zum Beispiel im Moment damit beschäftigt, die Bildung und Gründung eines Mietervereins in der DDR zu unterstützen, wenn man mich da gewähren läßt, wäre das eine Möglichkeit, mich zu engagieren.

Ich könnte mir niemals vorstellen, einem anderen Geheimdienst anzugehören, einem Geheimdienst etwa, der seine Tätigkeit auf antikommunistische Prinzipien gründet und der auch über lange Jahre der Gegenspieler meiner eigenen Arbeit war. Also ich müßte meine politische Überzeugung, alles, was ich bisher getan habe, völlig über Bord werfen – eine solche Wende kann ich mir nicht vorstellen. Ich könnte mir auch nicht vorstellen, und das wäre ja damit verbunden, daß ich Menschen, die, aus welchen Motiven auch immer, in vertraulicher Weise mit dem MfS zusammengearbeitet haben, von denen ich Kenntnis habe, nun preisgebe, sie also verrate. Hier endet für mich die Möglichkeit, Kompromisse einzugehen. Ich würde einen solchen Verrat nie begehen. Obwohl ich natürlich weiß, daß es ehemalige Mitarbeiter gibt, die diesen Schritt gegangen sind, und obwohl mir natürlich klar ist, daß der Verrat Einstand für eine solche Tätigkeit sein würde. Also auch das würde ich ablehnen, selbst im

Wissen darum, daß viele Unterlagen dieses ehemaligen MfS den westlichen Geheimdiensten in die Hände fallen werden. Daß auf diese Weise Gefährdungen für Menschen eintreten, die ich leider nicht verhindern kann. Aber Verrat bleibt Verrat. Aus moralischen Gründen würde ich so etwas nie tun.

Das war mir klar, daß Sie nun nach Herrn Schnur fragen, der für meine Abteilung gearbeitet hat. Ich persönlich habe dieses Striptease im Zusammenhang mit Schnur eigentlich bedauert, zumal Mitarbeiter des ehemaligen MfS sich daran beteiligt haben. Es ist zwar verständlich, warum das geschehen ist, aber es wirft die grundsätzliche Frage auf, wie man mit den Quellen seiner Informationen umgeht. Also, wenn schon Quellenschutz, dann schon absoluter Quellenschutz. Dann Quellenschutz auch für Herrn Schnur. Auch diese Menschen müssen in die Lage versetzt werden, einen Neuanfang zu gehen, so zwiespältig man auch zu dieser ganzen Figur Schnur stehen mag.

Die günstigste Verfahrensweise meiner Meinung nach besteht darin, solange es noch eine Regierung in der DDR gibt und solange die Wiedervereinigung noch nicht vollzogen ist, erstens so schnell wie möglich alle Ansprüche gegen das ehemalige MfS aufzuarbeiten. Dazu müssen die Akten auch noch zur Verfügung stehen. Jeder, der durch das ehemalige MfS zu Schaden gekommen ist, muß das Recht haben, rehabilitiert und entschädigt zu werden. Wenn dieser Prozeß abgeschlossen ist, würde ich soviel wie nur irgend möglich von diesen Unterlagen des ehemaligen MfS vernichten. Zweitens, die Fülle von Materialien, die auf Grund der flächendeckenden Überwachung gesammelt wurden, enthält in ungeahnter Weise Sprengstoff. Möglichkeiten nämlich, Personen zu kompromittieren, zu diskreditieren, so daß also auch hier der größte Teil dieses Materials meiner Meinung nach verschwinden sollte. Im Interesse eines Neuanfangs wäre es sicher für alle wichtig, soviel wie möglich zu vernichten. Zweifellos sollte man dieses oder jenes erhalten, was von historischem Wert ist, aber doch nichts, was Aufschlüsse gibt über das Verhalten, über Äußerungen von Personen, Einzelpersonen oder gar über ihre Zusammenarbeit mit dem ehemaligen MfS.

Natürlich wurde eine Reihe freiwilliger Mitarbeiter von unserer Abteilung in oppositionelle Gruppen geschleust, und es handelte sich ja nicht um wenige, sondern um eine beachtliche Anzahl von Leuten, die mit uns zusammenarbeiteten. Die Zahl der ehemaligen Informanten des MfS ist enorm groß. Ich bin der Auffassung, daß Personen, die individuelle Schuld auf sich geladen haben, nach rechtsstaatlichen Grundsätzen bestraft werden müssen. Aber das ist aus meiner Sicht ein außerordentlich geringer Teil von ehemaligen Mitarbeitern des MfS. Die überwiegende Anzahl dieser Mitarbeiter hat ehrlich ihre Pflicht erfüllt, die ihr auferlegt war, hat sich diszipliniert, einsatzbereit gezeigt, in der Überzeugung, damit etwas Gutes für einen sozialistischen Staat, auch für die Bevölkerung, zu leisten. Was daraus dann letztlich geworden ist, ob sich das nicht ins Gegenteil verkehrte, sollte dabei erst einmal unberücksichtigt bleiben, da ja auch andere Personen und Personengruppen durchaus Irrtümern, Fehlern in ihrem Leben unterlegen sind. Es sollte vor allen Dingen sehr viel getan werden, um durch sachliche Informationen über die Tätigkeit des ehemaligen MfS bestimmte überzogene emotionale, teilweise auch hysterisch aufgeputschte Stimmungen und Haltungen abzubauen.

Ich habe mir auch Gedanken gemacht, daß ehemalige Mitarbeiter eine Terrororganisation gründen könnten. Eine solche Gefahr ist unter bestimmten Bedingungen gegeben, aber nur, wenn man die Personengruppe der ehemaligen Mitarbeiter des MfS für absolut rechtlos erklärt, sie moralisch in die Lage versetzt, sich an keinerlei Recht und Gesetz gebunden zu fühlen. Es wäre also außerordentlich wichtig, bei allen Maßnahmen, die die ehemaligen Mitarbeiter des MfS betreffen, mit besonderer Sorgfalt Recht und Gesetzlichkeit und auch Humanität walten zu lassen. Das ist meiner Meinung nach das wirksamste Mittel, um Radikalisierungen entgegenzuwirken. Die überwiegende Mehrheit der ehemaligen Mitarbeiter des MfS akzeptiert aus meiner Sicht die eingetretene Entwicklung. Sie sieht auch keine Möglichkeit und keinen Anlaß, diese Entwicklung in irgendeiner Weise rückgängig zu machen. Aber sie steht natürlich zu einem wesentlichen Teil in einer gewissen Solidarität zueinander. Eine Solidarität, die neue Dimensionen erhalten könnte, wenn sie die äußeren Bedingungen dazu zwingen. Und wenn ich aus den Erfahrungen meiner Arbeit noch etwas hinzufügen darf: Die wirksamste Methode, um oppositionelle politische Kräfte daran zu hindern, einen größeren Einfluß zu erhalten, war immer, möglichst wenig repressive Maßnahmen festzulegen. Darauf hat ja schon Friedrich Engels hingewiesen. Ich hatte das einmal versucht, in unserem Apparat zu popularisieren. Friedrich Engels hat im *Anti-Dühring*, bezogen auf die Kirchenkampfgesetze Bismarcks, zum Ausdruck gebracht: Es gibt keine bessere Methode, eine unliebsame Ideologie zu befördern, als sie zu verfolgen. Das ist eine Erfahrung, die durch meine Tätigkeit bestätigt worden ist.

Aber nun der absolute Rechtsruck im Land! Diese

völlige Umwälzung politischer Anschauungen der Menschen ist meiner Meinung nach nur zu erklären aus einer absoluten Enttäuschung über das einstige politische System und seine Führung. Hier sind für viele Menschen Welten zusammengebrochen. Über lange Jahre angehäufte Unzufriedenheit schlug in völlige Ablehnung um. Und dieses Umschlagen wurde natürlich noch durch die Enthüllungen über die Lebensweise, die Verbrechen der alten Führung bekräftigt. Aber ich glaube, viel schwerer schlägt in dieser ganzen Radikalisierung zu Buche, daß die Bevölkerung der DDR über viele Jahre hin entmündigt wurde, daß sie durch penetrante Schwarzweißmalerei ferngehalten wurde von einer kritisch-objektiven Auseinandersetzung mit dem, was in der Welt vorgeht, auch mit dem, was in der BRD vorgeht. Durch das Verschweigen aller wesentlichen Vorzüge, aller Errungenschaften auch des Kapitalismus in der BRD, kamen meiner Meinung nach viele Bürger bei ihrer ersten unmittelbaren Begegnung mit der BRD zu Schlüssen, die weitab der Realität sind. Sie sind durch gefüllte Schaufenster, durch saubere Städte, durch ordentliche Straßen, durch pünktlich fahrende Züge und durch solche Selbstverständlichkeiten des Lebens derart überrollt worden, daß sie natürlich zu dem Eindruck kommen mußten, daß alles, was ihnen bisher in der DDR über die BRD gesagt wurde, völlig falsch und verlogen war. Ein Umschwenken auf andere politische Positionen ist deshalb verständlich. Und es ist aus meiner Sicht sehr bedauerlich, daß wahrscheinlich viele wichtige Entscheidungen über die Zukunft der DDR, die jetzt getroffen werden, späterer, nüchterner Betrachtung nicht standhalten werden.

Ich wünsche mir,
daß alles friedlich bleibt

Peter, 28 Jahre,
Verwaltung Rückwärtige Dienste

Ich hatte schon in der Schule den Wunsch gehabt, drei Jahre beim Wachregiment *Felix Dzierzyński* in Berlin oder bei der Bereitschaftspolizei meinen Dienst zu leisten. Es wurde dann beim Wehrkreiskommando ein Gespräch mit mir geführt, und ich hab' mich verpflichtet fürs Wachregiment.

Meine Mutter ist Verkäuferin von Beruf und mein Vater Rangierer bei der Reichsbahn.

Ich bin also nach Berlin gekommen zur Grundausbildung, und nach den acht Wochen Grundausbildung hat man mich in eine Diensteinheit gesteckt, die eben nicht zum Wachregiment gehörte, sondern zum Ministerium für Staatssicherheit. Das habe ich erst hinterher spitzbekommen, und es sollte so laufen, daß ich drei Jahre, auf deutsch gesagt, die Toiletten saubermache für die Mitarbeiter, und das hat mir überhaupt nicht zugesagt. Und da habe ich lieber unterschrieben und wurde Berufssoldat, weil es für mich der einfachere Weg war. Ich hatte als Arbeiterkind überhaupt nicht das Bedürfnis, für irgendwelche Herren die Toiletten sauberzumachen. Es war eine Reflexreaktion, aus dem Ärger heraus, daß ich unterschrieben habe, und so war ich dann bei der Staatssicherheit. Ich verpflichte mich doch nicht drei Jahre zur Armee oder zum Wachregiment, um dort nur mit Besen und Scheuerlappen durch die Gegend zu laufen. Ich bin dann sofort in ein Wohnheim gekommen und hatte ein Zimmer für mich, also gewisse Freiheiten. Auch finanziell war es eine spürbare Veränderung.

Ich habe zwei Monate Ausbildung gehabt, und brauchte dann, als Berufssoldat, keine Uniform zu tragen. Das war höchstens einmal im Jahr nötig, wenn wir unsere Woche im Feldlager gemacht haben, diese militärische Ausbildung. Aber ansonsten war Uniform passé.

Zuerst habe ich als Schlosser gearbeitet, Verstopfungen beseitigt oder Heizungen repariert. Dabei hatte ich viele Probleme. Ich hab' oft verschlafen, und dann steckte man mich einfach in ein anderes Kollektiv. Etwa ein Jahr mußte ich Müll fahren, die ganzen Stasi-Objekte sozusagen entsorgen. Später kam ich zur Objektverwaltung, die hatte zum Beispiel Veranstaltungen vorzubereiten und zu sichern. Wir wurden auch dazu vergattert, Garderobendienste abzusichern. Dabei habe ich auch mit höheren Dienstgraden zu tun gehabt. Aber sich mit den Leuten zu unterhalten, das war überhaupt nicht drin.

Die erste Zeit hatte ich Respekt und so, aber allmählich hat man ja auch mitbekommen, in welchen Verhältnissen diese Leute lebten. Das war eigentlich erschütternd. Es war uns ja bekannt, daß es spezielle Läden für höhere Offiziere gab. Das war gestaffelt nach Dienstgraden und so weiter, in welchen Geschäften sie einkaufen konnten. Für uns einfache Mitarbeiter blieb die normale Kaufhalle. Ich will nicht weiter drüber reden, sonst denken Sie von mir, daß ich neidisch bin, oder so.

Natürlich haben wir über all diese Mißstände geredet. Aber da mußte man vorsichtig sein. Also mich hat man zweimal angeschwärzt. Dann habe ich mitbekommen, wer das war, und man weiß dann auch mit der Zeit, wem man Vertrauen schenken kann, mit wem man sich unterhalten kann über solche Sachen und mit wem nicht. Und gerade in den unteren Bereichen gab es sehr viele, mit denen man sich darüber austauschen konnte. Am schlimmsten wurde es in der Zeit nach dem November 1988, als der *Sputnik* verboten wurde. Da sind bei uns sehr viele Genossen auf die Barrikaden gegangen. Es gab auch Genossen, die in einer Versammlung aufgestanden sind und ihre Meinung offen und ehrlich gesagt haben. Ein alter Genosse hat nach der Frühjahrsmesse 1989 geäußert, daß im *Neuen Deutschland* 43mal das Bild von Erich Honecker abgebildet war und daß das Personenkult sei. Ob wir das überhaupt mit unserer Einstellung vereinbaren könnten? Das ginge nicht, wir seien Kommunisten. Der Mann wurde im nachhinein im Hinterstübchen bearbeitet, bis er seinen Mund gehalten hat. Ich will damit sagen, daß solche Äußerungen für den einzelnen immer mit Folgen verbunden waren. Ich weiß, daß einer etliche Jahre keine Beförderung bekommen hat, keine Prämie, nichts, und außerdem befehlsmäßig in irgendeine andere Abteilung gesteckt wurde.

Ach, hören Sie auf mit der Partei! Bei uns war das zum Beispiel so, daß der Parteisekretär oder die Parteileitung bei dienstlichen Sachen überhaupt nichts zu melden hatten. Es war sogar so, daß man bei einer dienstlichen Verfehlung nicht nur dienstlich, sondern auch durch die Partei bestraft wurde. Das verstieß gegen das Statut, denn was hatte das eine mit dem anderen zu tun? Also da war man meistens doppelt bestraft und hat dann auch gemerkt, daß da irgendwas nicht stimmt.

Westkontakte durfte man ganz und gar nicht haben.

Es hieß: Sollte man einem Bürger westlicher Staaten zufällig begegnen, hatte man sich so gut wie möglich aus der Affäre zu ziehen, Hase spielen und weg. Später dann hieß es, man könne ruhig mit den Leuten sprechen, halt nicht sagen, wo man arbeitet, und im nachhinein eine Meldung schreiben an die Abteilung Kader und Schulung.

Privilegien hatte ich überhaupt keine. Im Gegenteil! Das einzige Privileg, das ich hatte, war, daß ich ein bißchen mehr Geld verdient habe als ein normaler Arbeiter. Ich hatte ein Nettogehalt von 1300,– Mark. Ansonsten hatte ich das Privileg, auf dem Rücken ein „S" zu haben – auf deutsch gesagt, Sammy, also Butler.

Dafür gab's Nachteile genug! Ein Nachteil war, daß ich überhaupt nicht sagen konnte, so aus einer Emotion heraus, ich fahre heute dort und dort hin. Das war überhaupt nicht möglich. Ich mußte mich immer abmelden. Grundsätzlich war es so, daß ich, wenn ich länger wegbleiben wollte als zwei Stunden am Abend, zu einer Tanzveranstaltung etwa, beim Leitungsdienst anrufen und sagen mußte, wo ich mich befinde. So war das.

Wir kleineren Mitarbeiter, die Mehrzahl der Stasi-Leute überhaupt, hatten keine Privilegien. Nur die Oberen. Aber das war ja auch in anderen Bereichen so. Wir Kleinen waren genauso das Volk – wie diejenigen, die auf die Straße gingen.

Nur, wir haben uns abgeschottet. Das war ein Fehler. Wir hätten vielleicht ein, zwei Schritte nach vorne machen sollen und nicht immer, wie es war, einen Schritt nach vorne und zwei zurück. Natürlich hängt das damit zusammen, daß wir ein militärisches Organ waren, also uns an Disziplin halten mußten. Trotzdem, uns hätten eher die Augen aufgehen müssen.

Als es die ersten Verhaftungen gab bei der Rosa-

Luxemburg- und Liebknecht-Demo im Jahre 1988, da standen wir auf dem Standpunkt: Das sind wirklich Randalierer. Die sind gegen unseren Staat. Das ist ein kleines Häufchen, das die Massen verunsichern will, ein bißchen Randale macht. Ich meine, man hat's auch nicht anders gesagt bekommen. Wir hatten ja sehr, sehr wenig Einblick und auch bloß davon gehört, daß es Verhaftungen gab.

Zu der ganzen Sache Krawczyk/Klier zum Beispiel konnte ich nichts sagen, aber dieser Stephan Krawczyk war für mich ein Mann, der sehr undurchsichtig war. Früher in der FDJ, dann für die Kirche. Diese schnelle Wandlung . . .

Aber was uns sehr, sehr geärgert hat, war immer das Hinterherhinken in den Massenmedien: Presse, Fernsehen, Rundfunk. Daß bei uns Schönfärberei betrieben wurde, und wenn man mal auf den Knopf gedrückt hat und einen anderen Sender drinhatte, man was ganz anderes gehört hat. Auf die Dauer kam man zu der Erkenntnis, daß das, was die in der Bundesrepublik von sich gaben, nicht alles Lüge sein konnte. Man hatte ja auch durch die Bevölkerung und durch Gespräche erfahren, daß dort Tatsachen gesagt wurden, daß ein Quentchen Wahrheit dran sein mußte.

Man ging ja auch nicht mit geschlossenen Augen durch die Welt. Gerade 1988 hat man auch versucht, mal bißchen rumzuhorchen, auch im Ministerium. Da sind natürlich auch Dinge zur Sprache gekommen, die unseren Vorgesetzten nicht paßten, also den Referatsleitern und stellvertretenden Abteilungsleitern. Denen ist zu Ohren gekommen, daß wir darüber diskutiert haben, zum Beispiel, ob das sein kann, daß diese Leute die teuren Wagen fahren. Wenn das ein Minister macht, sehen wir das ein, dann akzeptieren wir das. Aber jeder

General, jeder Oberst, der rumläuft, wozu braucht der so einen Westwagen? Und wie kann es sein, daß zum Beispiel die Frauen von diesen Generälen ein- oder zweimal in der Woche zum Einkaufen gefahren werden? Da gab es viele Diskussionen. Schon vom materiellen Wert her gesehen, den Devisen, die dafür ausgegeben wurden. Woanders, zum Beispiel im Gesundheitswesen, wurde das Geld gebraucht.

Man hat ja gehört, was in der Volkswirtschaft los war, daß es Probleme gab. Andererseits wurde man ja auch ständig mit diesen Zahlen konfrontiert, die, wie sich im nachhinein herausstellte, frisiert waren.

Dazu dieses ganze Dilemma im medizinischen Dienst – diese Unterschiede zwischen dem Krankenhaus des Ministeriums für Staatssicherheit und dem Regierungskrankenhaus zu den anderen Krankenhäusern, teilweise von der Technik her, teilweise von der Besetzung und auch von den Wartezeiten. Also das war schon bekannt, daß da vieles im argen lag.

Und dann wurde der Unmut immer größer. Es kam die große Ausreisewelle im Mai 1989, dann Ungarn. Klar haben wir auch drüber diskutiert. Na ja, die erste Zeit, da haben wir halt so darüber gesprochen, daß dadurch wieder ein paar Wohnungen frei werden und wir Probleme lösen können. Auch so, daß eben Leute gehen, die uns sowieso mehr geschadet hätten als genutzt. Im nachhinein hat es sich als falsch erwiesen. Daß eben nicht nur Leute gegangen sind, die vielleicht kriminell waren oder so. Es waren auch wirklich fleißig arbeitende Bürger. Daß das zum Teil alles Kriminelle und Asoziale sind, wurde uns ja gesagt, auch zu den Parteiversammlungen. Aber wissen Sie, die Medien haben ja bei dieser Meinungsmache auch mitgemacht. Das kam ja nicht allein von uns.

Dann kam der Oktober. Zu diesem Zeitpunkt fing das an mit diesen ganzen Sondereinsätzen. Ich war sehr wenig bei der Familie und habe auf Arbeit gesessen, auf Abruf sozusagen. Es wurden in dieser Zeit auch Genossen von den Rückwärtigen Diensten abgestellt zu Personenschutz-Einsätzen. Ich selbst nicht. Am 7. Oktober, als diese Prügeleien waren in der Hans-Beimler-Straße, am Alex und so, da weiß ich zum Beispiel, daß es Auseinandersetzungen gab zwischen den Sicherheitsorganen und den Demonstranten. Ich hab' gehört von den Genossen, die dabei waren, daß sie sich eben angegriffen gefühlt haben und sich demzufolge verteidigt haben.

Was ich auch nicht verstanden habe, waren zum Beispiel die Vorgänge in Dresden, als die Züge von der Prager Botschaft durch den Bahnhof fuhren und sich Mütter mit ihren Kinderwagen auf die Schienen gestellt haben. Nee, also, man hat es immer von dieser Seite betrachtet, vor allem die erste Zeit. Nachher aber, durch das Fernsehen der Bundesrepublik, auch durch Gespräche mit Bekannten, die in Betrieben arbeiten, vollzog sich bei mir ein Wandel. Das kam nicht von einem Tag auf den anderen. Heute verstehe ich überhaupt nicht, daß die Leute so verallgemeinern. Denn Mitarbeiter Staatssicherheit und Mitarbeiter Staatssicherheit ist immer ein Unterschied. Es gab gewaltige Unterschiede, sogar in der persönlichen Einstellung, in der Verfahrensweise untereinander. Es gab halt Vorgesetzte, denen konnte man sich anvertrauen, mit denen konnte man reden, die haben es für sich behalten, die haben auch bei der Bewältigung von Problemen geholfen. Es gab aber auch andere. Wenn man denen irgendwelche Sachen anvertraut hat, wurde man hinterher in die Pfanne gehauen, auf deutsch gesagt. Also die haben das dann sogar benutzt, um sich noch ein bißchen hochzukratzen. So. Dann, nach dem 18. Oktober, als der Krenz an die Macht kam, fanden das eigentlich alle gut. Auch ich habe mir viele Verbesserungen erhofft. Daß es so schlimm kommt, hat damals keiner gedacht.

Am 4. November dann die Riesendemo auf dem Alex. Ich erinnere mich genau, das war an einem Sonnabend, wir waren in der Dienststelle und haben uns das im Fernsehen angeguckt. In meinem Kollektiv gab's zu den Aussagen von der Steffie Spira Beifall, so muß ich das sagen. Aber auch zu Aussagen von Pfarrer Schorlemmer. Was der gesagt hat, haben wir auch begrüßt, das fanden wir eigentlich ganz vernünftig, so haben wir das auch gesehen. Auch toll von Markus Wolf war, daß er sich überhaupt hingestellt hat. Er ist der einzige von uns gewesen, der sich dort hingestellt hat. Erst mal den Mut aufzubringen, sich als ehemaliger Mitarbeiter zu äußern. Er hat es sich getraut. Andere, die eigentlich die Verantwortung für die ganzen Sachen hatten, haben überhaupt keine Stellung bezogen, sondern sich ins Mäuseloch verkrochen. Aber na ja, Markus Wolf war früher schon immer unser großes Vorbild. Wir haben ihn sehr verehrt. Wirklich. Ja, und dann kam die große Talfahrt für uns. Der Abstieg sozusagen. Angst hatte ich zwar nicht, nur wenn sich das gegen meine Familie gerichtet hätte, dann ja. Deshalb bin ich auch zu der Erkenntnis gekommen, daß es besser wäre, selbst zu gehen, weil ich nicht eingesehen habe, daß wir zum Beispiel die Suppe auslöffeln, die uns die Großen dort oben eingebrockt haben. Ich meine die Funktionäre und unsere Generäle, die haben gelebt wie die Fürsten, haben von goldenen Tellern gegessen, haben aber vergessen, uns die silbernen hinzuschieben. Und als ich dann zu der Erkenntnis gekommen bin, daß solche Leute wie Honecker und Mielke, die früher dafür gekämpft haben, daß es den Menschen einmal besser geht, die sich gegen einen Hitler gestellt haben, jetzt im Prinzip auch Verbrecher sind, vom Lebensstil her, war's aus. Sie haben doch damals gegen die Ausbeutung des Volkes gekämpft, sie hätten doch daraus lernen müssen! Sie haben nur an sich gedacht, das Volk aber vergessen.

Ich hatte von September 88 bis Juni 89 die Kreisparteischule besucht. Gerade in der Zeit kam dieses ganze Theoretische auf einen eingestürzt, und es war überhaupt nicht vergleichbar mit der Praxis. Ich kam zu der Erkenntnis, daß das, was Marx, Engels und Lenin wollten und sich vorgestellt haben, daß das gar keine Realität bei uns ist. Bei uns war wirklich ein Sozialismus für die oberen Zehntausend. Wir hatten doch bloß noch das Recht, für deren Bedürfnisse zu arbeiten. Das Politbüro, die Apparatschiks, die haben schon im Kommunismus gelebt. Wir waren doch, entschuldigen Sie den Ausdruck, genauso angeschissen wie das Volk. Schlimmer noch! Das empfinde ich als ungerecht. Als dieser ganze Haß auf die Staatssicherheit sich offen zeigte, als die Leute überall, wo man hinkam, sagten, der ist von der Staatssicherheit, wurden wir ja teilweise nicht eingestellt oder mußten erst mal wochenlang in den Kollektiven gegen irgendwelche Meinungen ankämpfen. Viele DDR-Bürger hatten eigentlich bloß die Vorstellung, daß die Staatssicherheit die Befehle der Regierung erfüllt, auf der Straße steht und knüppelt, vor allem nach den ganzen Ereignissen. Aber kaum einer sah, daß es auch ehrliche Mitarbeiter gab, die jahrelang wirklich nur ihre Arbeit gemacht und auch bloß im Dreck gewühlt haben. Also, viele wollten es nicht anders sehen.

Aber wir sind ja selbst schuld! Dieses Unverständnis für uns ist doch auch daraus entstanden, daß die Leute über unsere Arbeit nichts erfuhren. Zum Beispiel vor vielen Jahren, vor langer Zeit, gab es mal eine Abteilung Öffentlichkeitsarbeit im Ministerium für Staatssicherheit, die Erfolge gemeldet hat, natürlich mit Bedacht auf die Geheimhaltung. Aber die Bevölkerung hat erfahren, woran man gearbeitet hat, daß wir eben auch Wirtschaftsverbrechen aufgedeckt haben, Sabotage und Spionage, was ja unserer Volkswirtschaft zugute gekommen ist. Das haben wir vergessen. Wir haben nicht mehr mit der Bevölkerung gearbeitet. Wir haben der Bevölkerung nicht mehr gezeigt, was wir machen. Also standen wir da als Prügelknaben.

Natürlich war ich in West-Berlin. Wir durften das erste Mal Anfang Dezember fahren. Aber nur Mitarbeiter der Rückwärtigen Dienste. Vorerst. Ich war noch Mitarbeiter damals. Ich bin aber schon 14 Tage, bevor es erlaubt war, mit meiner Frau und meinen Kindern mal rüber nach West-Berlin. Für mich war's illegal und auch ein bißchen mit Herzflattern verbunden. Denn, wenn es rausgekommen wäre, wäre ich geflogen.

Na, so überwältigend, wie viele das gesagt haben, war es für mich erst mal nicht. Klar, diese Unterschiede sind einem ins Auge gefallen. Ich bin durch die Straßen gegangen und durch die Geschäfte und hab' mir die Gegend angeguckt. Hab' versucht, mal einen Arbeitslosen oder einen Penner zu sehen. Es wurde jahrelang davon gesprochen, daß drüben Hunderttausende auf der Straße liegen, aber ich hab' davon nichts gesehen. Man hat sich plötzlich gefragt, ob das real gewesen ist, was man jahrelang erzählt bekommen hat. Natürlich, es gibt Arbeitslose. Aber nicht in diesen Dimensionen, wie wir das immer vorgehalten bekommen haben. Und auch diese ganzen Unterschiede in den Geschäften! Allein fürs Auge! Was man dort in den Geschäften sieht! Das war natürlich ein riesiger Unterschied. Für mich war das deprimierend. Ich bin mit meinen Kindern in eine Spielzeugabteilung bei Woolworth gegangen, und nachdem ich nach einem riesigen Theater mit meinen beiden Kindern dort raus war, hätte ich selber anfangen können zu heulen. Da habe ich mir geschworen, ich gehe mit meinen Kindern nie wieder dort in eine Spielwarenabteilung. Ja, so war das.

Gleich nach diesem Erlebnis haben wir zu erfahren bekommen, daß das Ministerium aufgelöst werden soll. Unsere Abteilung war eine der ersten. Ich bin Gregor Gysi heute noch dankbar, daß er in einem dieser Donnerstag-Fernsehgespräche für uns Partei ergriffen hat, daß er gefragt hat, wie das sein kann, daß Genossen jahrelang in guter Absicht ihre Arbeit gemacht haben, Befehlsempfänger waren und die Befehle ausgeführt haben, weil sie überhaupt gar keine andere Möglichkeit hatten, und nun von einem Tag auf den anderen auf die Straße gesetzt würden. Mit welcher rechtlichen Grundlage? Wir haben dann auch mal gefragt, ob wir überhaupt ein Arbeitsrechtsverhältnis haben. Wir bekamen zu hören: „Ihr habt eine Verpflichtung unterschrieben, in der steht, ihr dient der Partei, dem Staat und dem Volk, solange ihr gebraucht werdet. Das ist kein Arbeitsrechtsverhältnis. Wenn euch gesagt wird, ihr werdet nicht mehr gebraucht, müßt ihr gehen."

Das war schon sehr, sehr erschütternd für uns. Die Leute saßen eben auf der Straße, und niemand hat sich geäußert, keiner von der Leitung. Wir haben sehr darauf gewartet, daß irgendwas kommt, von der Partei zumindest. Aber wie ich schon gesagt habe, die Leitung hat eben selber zugesehen, daß sie, auf deutsch gesagt, mit dem Hintern an die Wand kommt. Sie hatte auch genug zu tun, um alles beiseite zu schaffen, damit ihr keiner an den Wagen fahren kann.

Na ja, nun ist es vorbei. Ich habe bei allem Unglück Glück gehabt: Ich habe Arbeit gefunden. Schon bevor ich auf Arbeitsuche gegangen bin, habe ich mir gesagt, du hast nichts zu verbergen. Du bist jahrelang dort in Arbeitssachen rumgelaufen, warst im Prinzip weiter Arbeiter, hast deine Arbeit gemacht. Ich habe mir nichts vorzuwerfen. Ich habe nie auf jemanden einge- prügelt. Ich geh da hin, sage, wo ich herkomme, was ich gemacht habe. Das erschien mir einfacher und auch ehrlicher. Wenn ich gesagt hätte, ich komm vom Wach- regiment oder vom MdI, und im nachhinein erfahren die Leute, woher ich wirklich komme, hätte ich gegen mich irgendwie Mißtrauen aufgebaut.

Es hat auch sehr schnell geklappt. Ich verdiene zwar weitaus weniger als früher, aber das ist für mich un- wichtig. Hauptsache, Arbeit! Und in meinem neuen Kollektiv habe ich gar keine Probleme. Manchmal gibt's 'ne Spitze, na ja, da hör ich weg. Und überhaupt: Allein vom Arbeitsklima her ist das da ganz anders. Es steht kein Befehl mehr dahinter. Also wenn mir heute jemand zum Beispiel Aufgaben aufbrummt, die ich als Arbeitstherapie ansehe, wie es manchmal im MfS war – da konnte man sich sträuben, wie man wollte, man mußte sie letztlich trotzdem machen –, kann ich sagen, entschuldige mal bitte, so geht's nicht, dafür ist mir meine Arbeitszeit ein bißchen zu teuer. Und ich kann auch mal meine Meinung sagen, kann auch mal sagen: „Rutsch mir den Buckel runter."

Ich erfahre natürlich auch von den ganzen Schwei- nereien und Mißständen in unserem Land. Zum Bei- spiel auf dem Gebiet des Umweltschutzes, was da so alles hochkommt! Also wenn man sieht, daß Leute – wie zum Beispiel der Minister für Umweltschutz – so was zu verantworten haben und dann noch nicht mal die Traute haben, aufzutreten, Rechenschaft abzulegen, Stellung zu nehmen, dann ist das unverständlich. Die Bürger in Borna! Was die zu dieser ganzen Verschmutzung, zu dem verseuchten Wasser gesagt haben! Ein 62 Jahre alter Mann, der körperlich völlig kaputt ist, hat gesagt, daß er noch in den fünfziger Jahren in der Pleiße baden gehen konnte. Und heute? Kein Fisch mehr. Nichts. Eine 5 cm starke Öl- und Schlammschicht ist auf dem Wasser. Die Kinder haben chronisches Asthma von der ungesunden Luft. Darüber wurde ja jahrelang ein Mantel des Schweigens gebreitet. Vielleicht hätten wir uns auch alle mehr kümmern müssen. Aber wie denn? Die aus anderen Bereichen haben doch auch geschwiegen! Wir haben doch alle Schuld auf uns geladen. Am meisten sicher das Politbüro, auch unsere Generäle, die das ganze System ja gestützt haben.

Ich meine, die Leute, die wirklich kriminell gehandelt haben, müssen auch voll zur Verantwortung gezogen werden. Dazu gibt's ein Strafrecht. Vor dem Gesetz ist doch jeder gleich. Die Leute müssen ihre Strafe bekommen und diese Strafe auch absitzen. Das, was sie gemacht haben, die Befehle, die sie erteilt haben und womit sie uns Schaden zugefügt haben, das haben sie vor sich selbst zu verantworten und vorm Richter und vorm Volk.

Haß oder Rache empfinde ich nicht. Ich bin ein bißchen stolz auf die Pfarrer unseres Landes, die durch ihren Glauben überhaupt keine Rachegefühle zeigen. Vor ihrem Gott sind alle Menschen gleich.

Ich bin dafür, daß alles friedlich abgeht. Ich wünsche

mir, daß die Leute miteinander reden, über alles, offen und ehrlich, daß sie ein bißchen aufeinander zugehen und Einsicht zeigen. Aber Gewalt? Nein! Ich wünsche mir, daß alles friedlich bleibt. Der Sozialismus, so wie er war, ist sowieso nicht mehr möglich. Aber der Sozialismus an sich, der ist ja nichts Schlechtes, er hat ja auch gute Seiten. Wichtig ist, daß wir die guten Seiten, die wir uns bis jetzt erarbeitet und erkämpft haben, daß wir die behalten, uns sichern. Ich weiß, daß wir von vielem Abstand nehmen müssen, auch von diesen ganzen sozialen Dingen, daß das gar nicht ausbleibt, daß wir Abstriche machen müssen. Aber ich hoffe vor allen Dingen, daß das nicht auf Kosten der sozial Schwachen geht, zum Beispiel der Rentner oder der Kinderreichen, daß dort Regelungen geschaffen werden durch die Gewerkschaften. Denn meiner Meinung nach sind die Gewerkschaften momentan das einzige Mittel, das wir noch haben, um unsere Rechte zu wahren.

Ich kann jedem Menschen
gerade in die Augen gucken

Wolfgang, 50 Jahre,
Hauptabteilung XVII

Für mich war die DDR ein stabiles Land. Ein Land, mit dem ich mich identifizieren konnte. Wir haben in unserer Arbeit immer streng differenziert zwischen kritischen Haltungen, die positiv auf eine Veränderung oder eine Verbesserung der gesellschaftlichen Situation der DDR gerichtet sind, und Haltungen, die bestrebt waren, eine Restaurierung alter Machtstrukturen und Machtverhältnisse zu erreichen. Im wesentlichen war ich ja nur mit Leuten im Kontakt, die an der DDR interessiert waren, an ihrem Erhalt. Nur sehr wenigen Menschen bin ich begegnet, die andere, konträre Interessen hatten. Bei denjenigen hatte ich natürlich keine Bedenken, die operativen Mittel einzusetzen, um ihre Arbeit nicht wirksam werden zu lassen.

Daß derartig einschneidende Ereignisse ab Oktober 1989 die Auflösung des Ministeriums für Staatssicherheit zur Folge haben würden, hätte ich nicht gedacht. Daß eine Änderung in der gesellschaftlichen Situation eintreten mußte, war klar. Aufgrund der ökonomischen Situation und bestimmter politischer Ereignisse wurde es deutlich, daß innere Änderungen eintreten müssen, wobei ich zunächst an eine biologische Lösung gedacht habe, also unsere Führungsfunktionäre aufgrund ihres Alters entweder freiwillig abtreten oder durch Tod ausscheiden und dadurch neue Leute eine Demokratisierung durchsetzen würden. Wer hat denn von uns das

System, das herrschte, so durchschaut bis zum letzten? Nun sprechen wir darüber, nun wissen wir, was Stalinismus ist, wie sich der Stalinismus bei uns in der DDR darstellte, welche grundsätzlichen Fehler an der Idee überhaupt bestanden haben. Aber wir im MfS haben doch die Erscheinung erkannt, haben Informationen erarbeitet und uns darüber erbost, daß unsere erarbeiteten Informationen nicht umgesetzt wurden. Wir wußten, wie beispielsweise Günter Mittag mit den Generaldirektoren umging. Deswegen war uns eigentlich klar, daß dieser Mann die Informationen einfach ignorierte, daß er also ein Einzelregime führte und alles andere unterdrückte. Wir haben doch in dem Bewußtsein gearbeitet, für das Land das Beste zu tun. Ich möchte hiermit bewußt sagen „für das Land", nicht für die Parteiführung, denn zu diesen Leuten hatten wir eigentlich keinen Bezug. Wir hatten nur das Vertrauen, daß hier die beste Politik gemacht wird.

Ich war in der Wirtschaft tätig. Es ist doch so, daß wir seit langem die anwachsenden Probleme unserer Wirtschaft erkannt hatten und unseren Beitrag zur Beseitigung der Probleme zu leisten versucht haben. Das erfolgte in verschiedenen Formen. Einerseits war das Hauptanliegen, die Versuche der westlichen Seite, unsere Wirtschaft zu destabilisieren, zu unterbinden. Was uns mehrfach gelungen ist. Und andererseits versuchten wir, auf Mißstände im Land selbst hinzuweisen.

Für die jetzt vorhandenen wirtschaftlichen und ökonomischen Probleme sehe ich nur eine Begründung: Das Netz der sozialen Sicherheit, das wir hatten, war so stabil, daß keiner mehr über seine moralische Verpflichtung, gut zu arbeiten, nachdenken mußte. Und daran ist, neben den ganzen stalinistischen Problemen, die von der Leitungsseite her bestanden, die gesamte Wirtschaft zusammengebrochen.

Es ist natürlich ungerecht, daß wir heute die Prügelknaben sind, aber meiner Meinung nach mußte das so kommen. So wie der Umbruch, diese Revolution, bereits einen Charakter annimmt, der von den Leuten, die ihn eingeleitet haben, nicht gedacht war, und andere Kräfte jetzt bereits die Umbildung bestimmen, haben diese Kräfte bestimmte Ziele verfolgt und sie auch abgearbeitet: Als erstes wurden die Kampfgruppen beseitigt, dann war die Polizei dran, die in den Ereignissen um den 7./8. Oktober und 9. Oktober optisch wirksamer war als wir. Nachdem man erkannt hatte, die Polizei muß bleiben, weil sonst die öffentliche Ordnung nicht aufrechterhalten werden kann, kam die Staatssicherheit dran. Für uns ist das alles bitter.

Die Parteiführung hat ja keiner Analyse mehr vertraut, sondern sich in Sicherheit gewähnt. Demzufolge kamen natürlich solche eklatanten Fehleinschätzungen der Lage zustande. Und wenn wir nun noch von dem Dreiergremium Honecker – Mittag – Mielke sprechen, dazu die Liebedienerei der übrigen Politbüromitglieder, die nicht anecken oder nicht gemaßregelt werden wollten, wenn sie eine gegenteilige Meinung aufbringen, kann man sich vorstellen, wie alles gelaufen ist. Einmal in Gang gesetzt, kommt der revolutionäre Prozeß eben zum Ausbruch. Und die Ereignisse, die sich in Ungarn abzeichneten, waren ja im Vorfeld durch die westliche Seite in Einzelheiten bereits signalisiert und in ihrer Systematik auch durch unsere Organe an die Parteiführung gegeben. Bloß, man hat uns nicht geglaubt. Wobei Reaktionen darauf ja sicher auch nur die Situation kaschiert und nicht die notwendige Veränderung des Gesamtsystems bewirkt hätten. Eigentlich waren ich und viele andere der Mitarbeiter in derselben Lage wie das Volk, auch wenn wir zu einem systemerhaltenden Apparat gehörten. Nur daß wir nicht auf die Straße gegangen sind. Dazu ist natürlich auch das Beharrungsvermögen im Organ zu hoch, selbst wenn wir in unseren Kollektiven zu diesen Problemen intern, zum Teil recht scharf, Stellung genommen haben. Und eine Palastrevolution hat ja auch in der Sowjetunion nicht stattgefunden. Ein einziger Mann, das war Andropow, hat nur die Weichen gestellt, daß eben ein neuer Kader, der die Fehler des Systems erkannt hat, ans Ruder kam. Das ist also eine Revolution von oben gewesen. Aufgrund dessen, daß wir ein militärisches Organ waren, in dem, wie soll ich das sagen, die ideologische Seite voll von der Partei ausgesteuert wurde, ging das nicht, daß wir die Sache zum Kippen brachten. Das Volk konnte auf die Straße gehen, nie die Mitarbeiter der Staatssicherheit. Wenn wirklich mal irgendwo jemand aufgemuckt, ernsthaft aufgemuckt hat, dann hat er nicht mal so sehr dagegen aufgemuckt, daß die Führung 80 Jahre alt ist, sondern gegen andere kleine Erscheinungen, die im Hause waren, und dann ist er entlassen oder umgesetzt worden. Und damit war das Problem gelöst. Er hat ja nicht mal den Solidarisierungseffekt bei den meisten anderen erreicht, daß die sich etwa für ihn einsetzen. Nee. Außerdem wäre eine derart gleichartige und gleichmäßige in allen Bereichen des MfS wirksame Erscheinung sowieso nicht möglich gewesen, weil die operativen Diensteinheiten andere Erfahrungen hatten in der Gesellschaft als die rückwärtigen Diensteinheiten, die ja sowieso in der Überzahl waren. Also Palastrevolutionserscheinungen hätte es immer nur in Teilbereichen geben können.

Eigentlich habe ich mit meiner Arbeit die Arbeit meiner Eltern fortgesetzt, die ihr Leben lang aktiv im Kampf gegen den Hitlerfaschismus standen, am Aufbau dieses Staates mitgewirkt haben, eben auch in diesem Ministerium. Das war meine innere Motivation. Natürlich gab es genug Karrieristen, auch ein Punkt, der mich innerlich von dem Organ etwas entfremdete, denn die Arbeit in den sechziger, siebziger Jahren war präzise auf den Feind ausgerichtet. Wir waren ein Eliteorgan, wie es einem Geheimdienst auch zusteht. Es war damals wesentlich attraktiver von der Arbeit her. Nur, daß diese ganzen Ballastbereiche, auch für uns spürbar, zugenommen haben und nicht die operative Arbeit im Mittelpunkt dieses Organs stand, sondern noch ganz andere Aufgaben. Das waren Erscheinungen, die mich befremdeten. Auch der Begriff „flächendeckende Überwachung" ist mir deutlich geworden. Ich denke, daß dieses „flächendeckend" nicht für die Arbeit des Ministeriums zutrifft, sondern wahrscheinlich die Überlegung auf höchster Ebene war, wie die Arbeit für die Zukunft vielleicht organisiert werden sollte. Analog bestimmter Muster, die es auch im Westen gibt. Und daß dementsprechend die Postüberwachung und die Telefonüberwachung ausgebaut wurden, womit aber der normale Mitarbeiter im wesentlichen nichts zu tun hatte. Wir spürten andere Erscheinungen stärker, zum Beispiel seit etwa 1980 das Anwachsen des Ministeriums in seiner Größe. Im Gegensatz zu früheren Jahren, als eine Telefonüberwachung, von Volksüberwachung will ich jetzt mal gar nicht sprechen, recht schwierig einzuleiten war, wurde es auch für uns nun zunehmend leichter, eine zu erreichen. Das heißt, die Kapazitäten, die hier geschaffen wurden, konnten durch die Mitarbeiter leichter genutzt werden, ohne daß man ihnen direkt sagte, daß die Kapazität wesentlich erweitert worden wäre. Wobei meine persönliche Meinung war, daß eine Telefonüberwachung und andere Überwachungsvarianten zur operativen Arbeit sowieso nur dann genutzt werden sollten, wenn man wirklich glaubte, daß man einer gegen die DDR gerichteten Tätigkeit auf der Spur war. Und nach diesem System haben wir eigentlich fast alle gehandelt. Ich kann von mir sagen, daß ich im Laufe der vielen Jahre nur viermal die Telefonüberwachung organisiert habe. Es hat sich dann auch jeweils der Verdacht eines Spionageaktes erwiesen.

Nun zur Überwachung Andersdenkender: Es wird mit Sicherheit viele Unschuldige getroffen haben. Aber wir tun immer so, als hätte es nie westliche Geheimdienste gegeben, als hätte es nie eine Arbeit von der westlichen Seite in die DDR hinein gegeben. Oder als hätte die westliche Seite nie Agenten in die kommunistische Bewegung eingeschleust, und wäre demzufolge eine Abwehr nie notwendig gewesen. Jetzt sehen wir nur die Fehler, die gemacht wurden, und nie die Notwendigkeit, daß es diese Arbeit vom Grundsatz her geben mußte. Denn es hat immer eine Auseinandersetzung zwischen Ost und West gegeben, und es gibt sie auch jetzt noch. Die Erklärungen der Chefs vom Bundesnachrichtendienst, Verfassungsschutz und der Geheimdienste beinhalten ja auch die Arbeit gegen die DDR.

Wenn ich ehrlich bin, gab es natürlich noch einen anderen Grund, weshalb ich mich nach meinem Studium für die Arbeit im MfS entschied: Wir wurden besser bezahlt als andere in der DDR. Aber das ist in jedem Geheimdienst der Welt so, sonst ist sich nämlich die jeweilige Regierung ihres Geheimdienstes nicht sicher. Es wird auch in dem neu zu bildenden Verfassungsschutz der neuen Regierung wieder so sein. Zum anderen muß man unseren Zeitaufwand sehen. Also, wenn wir das pro Stunde umrechnen und zu einem gut bezahlten Facharbeiter der DDR in Relation setzen, verdient der mehr. Das Geld ist von den Privilegien überhaupt das einzige, das zutreffend ist. Jedenfalls für den einfachen, normalen Mitarbeiter. Natürlich, unsere Leitung hat sich ein schönes Leben gesichert. Das war uns klar und bewußt, und damit waren wir eigentlich auch nicht zufrieden. Das war für uns nicht das erstrebenswerte Ziel, es war aus unserer Sicht eine Deformation. Und dagegen anzugehen? Sinnlos, würde ich sagen, es gab nur eine Möglichkeit: entweder man scheidet aus, oder man läßt die Leute machen. Und daß für uns nicht alles sichtbar schien, dafür hat die Leitung natürlich auch gesorgt. Denn diese besonderen Läden für die hohen Offiziere kannten nur ganz wenige Mitarbeiter. Bei dem Sturm auf die MfS-Zentrale konnte die Opposition sich davon überzeugen, daß die Kaufhalle ein ganz normales Lebensmittelangebot hatte, wie eine Kaufhalle draußen, daß der Buchladen, den sie geplündert haben, kein besseres Angebot als draußen hatte, und wenn sie den kleinen Textilladen gesehen haben, da war nichts von wegen Privilegien. Aber deshalb auf die Barrikaden zu gehen, das wäre nicht machbar gewesen. Hier hätten die Disziplinierungsmaßnahmen sehr schnell und wirksam durchgeschlagen, so daß eine einigende Bewegung nicht hätte zustande kommen können. Das war für das Volk möglich, aber nicht für uns.

Natürlich, es hat auch untereinander Freundschaften gegeben. Da hat man über diese Probleme gesprochen und festgestellt, daß überall die gleiche Meinung herrschte, die gleiche latente Unzufriedenheit, das gleiche Erkennen der Probleme und die Auffassung, daß sie hier gelöst werden müssen. Aber die Vorstellung ging immer dahin: wir zeigen die Probleme auf, lösen muß sie die Führung oben. Und das ist das Problem des MfS gewesen. Sicherlich auch das Problem innerhalb der Partei.

Isoliert habe ich mich nie gefühlt. Meine Familie und ich haben immer ein offenes Haus gehabt, einen großen Freundeskreis, der unausgesprochen meine Arbeit im MfS tolerierte, denn man kann seine Legende gegenüber der Öffentlichkeit, wenn man 10, 15 oder 20 Jahre in einem Haus zum Beispiel wohnt, nicht aufrecht erhalten. Allen Leuten wird das klar, wenn man zu allen Staatsfeiertagen morgens früh zum Einsatz geht und das seit 20 Jahren, Sonnabend und Sonntag oder sonstwann. Im Wohnhaus habe ich eine gute Beziehung zu den Mietern gehabt, weil sie gesehen haben, daß ich mich für die Belange des Hauses einsetzte. Angst vor den Leuten habe ich heute nicht. Denn in den vielen Jahren meiner Tätigkeit habe ich mir, und das kann ich mit gutem Recht behaupten, keine Unkorrektheiten in der Behandlung von Menschen zuschulde kommen lassen. Ich kann jedem dieser Menschen, wie soll ich das sagen, gerade in die Augen gucken. Auch wenn ihnen manches etwas anders erscheint. Ich kann nicht die moralische Verantwortung für alles übernehmen, das irgendwo in diesem Land geschehen ist. Obwohl ich sie letztlich irgendwo mittrage. Aber ich kann nun nicht die Gesamtlast auf mich allein nehmen. Jeder muß verantworten, wofür oder wobei er wirksam und tätig war. Wenn alle Mitarbeiter so gearbeitet hätten wie ich, dann hätten wir die Probleme so nicht gehabt, dann wäre das MfS nicht so in das Kreuzfeuer der Kritik geraten, wäre es nicht zum Prügelknaben der Nation geworden.

Ach, ich war schon stolz auf die Arbeit und alles. Ich hatte das Bewußtsein, hier eine notwendige Arbeit für den Staat zu leisten. Ja, das hatte ich. Und es ist gerecht, daß das ehemalige Politbüro für eine verfehlte Politik zur Verantwortung gezogen werden soll. Bis zum Zeitpunkt 82/83, als Andropow in der Sowjetunion Parteichef wurde, hätten sie keine andere Politik machen können, ausgenommen eine bessere Wirtschaftspolitik. Aber danach hätten sie eine andere Politik machen müssen, und das Volk wäre mit Vehemenz gefolgt. Aber sie haben keine Veränderung dieser Politik eingeleitet. Wenn sie früher gezwungenermaßen Stalinisten waren, waren sie es jetzt vom Innern her. Vielleicht auch altersmäßig bedingt. Sie sind im Stalinismus groß geworden und werden das Problem auch nicht erkannt haben, genau wie wir. Aber für diese verfehlte Politik müssen sie zur Verantwortung gezogen werden. Jetzt denke ich, in der großen weiten Welt wird über das, was hier politisch passiert, kein rechtes Verständnis aufkommen. Bei uns war keine solche Situation wie in China und Rumänien. Die Ereignisse in Leipzig und Berlin belegen das doch auch, weil sowohl die Polizei – bis auf Einzelerscheinungen – wie auch das MfS und die Kampfgruppen nicht gewillt waren, gegen das eigene Volk vorzugehen, so daß derartige politische Erscheinungen in ihrer Gesamtheit mit Sicherheit nicht machbar gewesen wären. Ich glaube deshalb, daß in fünfzig Jahren eine Geschichtsschreibung uns das als eine Unfähigkeit zur Bewältigung der Situation bescheinigen wird.

Im übrigen glaube ich nicht an die Märchen von der Reorganisation des MfS. Die Mitarbeiter des MfS sind

110

anders erzogen. Sie sind nicht zum Selbstzweck Mitarbeiter gewesen, und darüber waren sie sich auch klar, sondern sie waren Diener des Staates in einer eigenständigen DDR, und auch einer möglichen zukünftigen SPD-Regierung werden sie ihre Kraft zur Verfügung stellen. Das glaube ich wenigstens von 95 Prozent der Mitarbeiter sagen zu können, und das meinte ich auch, als ich sagte, sie fühlten sich der DDR verpflichtet, weniger dem Politbüro oder dem Genossen Honecker. Auch zur Person Mielke gab es meiner Meinung nach seitens der Mitarbeiter keine innere Beziehung. Seit zehn Jahren fanden sie, der Mann sei zu alt, da müßten andere Leute ran.

Ich muß nun ertragen, daß ich mich nicht in der ersten Reihe stehend nach der Wende betrachten kann. Ein Opfer, das ich bringen muß. Es wird keine neue Karriere in dem Sinne für mich geben. Ich werde eine neue Arbeit machen, die werde ich versuchen gut zu machen. Was mir zu tun bleibt, und was ich kann, ist mitzuhelfen, etwas für den Sozialismus mit menschlichem Antlitz zu tun, damit der Grundgedanke nicht verloren geht. Für mich ist das Modell des Kapitalismus, auch wenn er sich relativ schillernd darstellt, noch nicht das Beste. Wenn unsere Sache auch mißlungen ist, denke ich, daß der Kapitalismus trotz alledem noch verbesserungswürdig ist. Es könnten sich hier gesellschaftliche Kräfte herausbilden, die das Banner des Sozialismus doch wieder hochhalten, und das muß nicht um jeden Preis die PDS sein. Auch die Sozialdemokratie kann zu diesem Weg finden, und auch eine politische Bewegung wie das Neue Forum kann eine derartige Entwicklung nehmen. Es erweist sich doch, daß der Kapitalismus in Europa, wie er sich heute darstellt, ganz unterschiedlich strukturiert ist. In seinen fortgeschrittensten Ländern, der BRD und Frankreich, hat er bereits Züge angenommen, die relativ sozial sind. Ich denke mir, daß – verbunden mit unserer Idee, der Idee des menschlichen Sozialismus – ein Zusammenwachsen in Europa möglich ist. Wie das machbar ist, ob wir jetzt nicht zuviel bei dem Ruf nach „Deutschland einig Vaterland" verschenken für eine solch günstige Konstellation, das weiß ich eben nicht. Für mich ist die westliche Welt mit allen ihren Vorzügen nicht unbedingt die erstrebenswerte Welt. Ich guck mir das auch drüben an, mache auch meinen Preisvergleich, aber ich belasse es nicht dabei, sondern ich versuche, mir ein Stück dieser Gesellschaft, des Zusammenlebens dieser Gesellschaft anzuschauen und hinter die Kulissen zu gucken. Und da gibt es durchaus einiges, was ich als nicht empfehlenswert sehe. Wobei andere Dinge mir sehr gut gefallen haben, als ich durch West-Berlin ging. Ich hab' mir Zeit genommen, um vom Stadtleben etwas zu sehen, wie die Bürger mit ihrer Stadt umgehen, wie gebaut wird, wie rücksichtsvoll man zu den Passanten ist und wie Werte bewahrt werden, wie geschont wird insgesamt, wie die Stadtreinigung funktioniert und ähnliches. Wo also für mich eine innere Beziehung zur Stadt sichtbar wird. Und das wünschte ich mir natürlich auch bei uns. Mir sind aber auch die Stadtstreicher aufgefallen.

Für mich ist wirklich das Problem, man darf sich nicht aufgeben, man darf sich nicht durchhängen lassen und dabei irgendwo in psychisch schwierige Situationen kommen. Dann ist man überhaupt nicht imstande zu begreifen, was jetzt hier gesellschaftlich vor sich geht. Und weil ich das eben versuche, sehe ich vielleicht auch schon wieder, wie Gefahren auf dieses Land zukommen, und das Ausschlagen des Pendels nach der ganz rechten Seite möglich ist. Ausverkauf, schnelle Vereinnahmung und so weiter, das Über-Bord-Werfen aller bei uns überhaupt bestehenden Werte vielleicht. Eine Sache, die ich selber nicht wollte, die diejenigen, die die Wende eingeleitet hatten, auch nicht wollten. Meine Kinder sehen das ähnlich wie ich. Nämlich, daß ich nicht an der Idee gescheitert bin, sondern an einer Führung, einer inkompetenten politischen Führung, und daß, wenn dieses Land überhaupt eine Chance haben will, es sich eine teilweise Eigenständigkeit erhalten muß. Und zum Glück, meine Kinder haben sich die Veränderung bereits zu eigen gemacht und haben dabei ihren gesellschaftlichen Platz gefunden. Das Problem, daß für mich nun ein „Aus" gekommen ist, sehen sie nicht so schlimm.

„Irgendwo wirst Du schon wieder arbeiten und ein bissel Geld verdienen. Hungers sterben werden wir schon nicht."

Und was heißt denn eigentlich, sich nie wieder politisch zu engagieren? Das bedeutet doch, daß diese ehemaligen Mitarbeiter des MfS, die dies sagen, auch bloß vorgeplapperten Worten nachgelaufen sind und nichts gedacht haben oder nur wenig Eigenständiges. Daraus dann natürlich die Erkenntnis abzuleiten, jetzt hab' ich mir die Finger verbrannt, und nun laß ich's sein für allemal, ist doch zu einfach. Wir wissen auch, daß in der Anfangszeit, als die Grenze geöffnet wurde am 9. November, sofort einige hundert Mitarbeiter abgegangen sind nach drüben. Das zeigt eben, daß diese Leute nicht mit Überzeugung dabei waren. Das waren auch mit Sicherheit Leute, die bereit waren, die übrige Bevölkerung auf Befehl zu drangsalieren, weil sie keinen inneren Bezug zum Volk hatten. Demzufolge waren sie sofort bereit, sich zu drehen und zu wenden, um vielleicht aus der Situation noch das Beste für sich zu machen. Das wird für mich nicht zutreffen.

Wir haben
die falschen Feindbilder entwickelt

Gerd, 42 Jahre,
Zentraler Medizinischer Dienst

Es ist etwas zerbrochen. Ja. Es ist ein Scherbenhaufen . . ., aber ein positiver, vor dem man sitzt. Ein Stückchen an Ideen über den Sozialismus und die Selbstverwirklichung des Menschen ist bei mir seit dem 4.
November in Erfüllung gegangen. Es ist eine Konfliktsituation entstanden. Eine Konfliktsituation objektiver
Natur, in der man gezwungen ist, sich neu zu orientieren. Es ist nicht so, daß man jetzt völlig der Erscheinung der Wende, der demokratischen Öffnung ausge-
liefert ist. Nein. Wer, wie wir, in der Lage war, in all den
Jahren mit Konflikten zu leben, und das mußten die
Mitarbeiter des ehemaligen Ministeriums alle, der ist
in dieser Situation offen. Auch für mich sind diese Konflikte nichts Neues. Sie sind in den Jahren für mich immer Ausgangspunkt gewesen, in der Analyse den Menschen Hinweise zu geben, wie sie glücklich sein
können, das war in unserem Beruf ja nicht einfach. Ich
spreche ganz konkret auch von Menschen, die mit uns
sehr eng zusammengearbeitet haben, die im Ministerium ihren Lebensinhalt gesehen haben und plötzlich
Probleme bekamen, in der Familie, politisch-ideologische Probleme oder Probleme mit den Vorgesetzten.
Und ich habe manchem geraten, lieber diesen Wacker-
stein „Ministerium" aus dem Rucksack zu nehmen und
etwas anderes zu tun, weil sie sich dann freier, unge-
zwungener bewegen könnten. Wir waren immer in

einer Situation der eigenen Frustration. Deshalb ist die jetzige Situation sowohl ein Stückchen Befreiung vom stalinistischen Denken, aber man ist auch ein bißchen enttäuscht, daß man selbst nichts getan hat, die Wende einzuleiten. Auch Schuld empfinde ich. In der Familie gab es eine offene Atmosphäre über die Vorzüge und die Probleme im Sozialismus. Eine Schwarzweißmalerei gab es nicht in der Betrachtung der aktuellen politischen Vorgänge. Wir stehen noch mal vor einem Neubeginn, was ein Stückchen Befreiung ist, aber auch ein Stückchen Angst, daß die Ideen des Sozialismus verloren gehen, die an sich die besseren sind, und für die das Volk auf die Straße gegangen ist, wie das Bündnis 90, die Linken und die progressiven Schriftsteller, die jetzt Angst bekommen vor Erscheinungen, die sie nicht gerufen haben. Das ist tragisch. Jetzt steht die Frage, wie geht's weiter? Da fehlen mir die Beiträge der Wissenschaftler, da fehlen die Beiträge der Journalisten und der Schriftsteller. Wir brauchen sie heute wieder. Wir brauchen sie als Mahner für die jetzige Situation. Denn jetzt begeben wir uns in die Klauen des Kapitalismus zurück. Es war nicht ein Aufbruch in den neuen Sozialismus, sondern ein Aufbruch in den Kapitalismus, der noch ein Kapitalismus des alten englischen Kapitalismus ist. Und unsere Neu- und Amateurkapitalisten sind viel schlimmer als die Kapitalisten der BRD. Leider.

Die Frage, warum der Sozialismus gescheitert ist, hat viele Seiten. Als Psychologe sehe ich das so: Das Einsetzen von Normen zum normgemäßen Verhalten mußte zu einem bestimmten Zeitpunkt zur Eruption führen. Denn wesentliche Seiten des Menschen wurden nicht berücksichtigt. Die Möglichkeit, Verantwortung zu übernehmen, war nicht gegeben. Es war eine verordnete Verantwortung. Damit fehlte die Identifizierung mit dem Land. Das war ein echtes Problem, das habe ich immer schon gesehen. Es fehlte parallel dazu die Erziehung zur Selbstverwirklichung als Massenerscheinung. Es war auch deutlich, unsere Bedürfnisse kippten ab in reinen Konsum, in kleinbürgerliche, spießerliche Verhaltensweisen. Es war Zölibatsdenken im Sicherheitsbereich. Und dabei ist der Sozialismus die Gesellschaftsordnung, die an sich die Wurzeln oder die Möglichkeiten gerade für Verantwortung und Selbstverwirklichung hat und die Perversion des Menschen an sich verändern kann. Aber nicht der dirigistische, stalinistische Sozialismus, der war nicht dazu in der Lage.

In meiner Arbeit ging es vor allem um die Analyse von menschlichen Charakteren. Auch um die Analyse von bestimmten Erscheinungen in der BRD, der Methoden des Feindes. Da konnten wir nicht einseitig vorgehen. Wir mußten komplex unsere dialektischen Methoden einsetzen und so auch Erscheinungen in der DDR untersuchen. Wer das gemacht hat, sah die Probleme. Ich kenne sehr viele Genossen, Mitarbeiter, Leiter, Abteilungsleiter, die diese Probleme sehr differenziert gesehen und davor gewarnt haben, eine Politik nicht am Volk vorbei zu machen. Doch wir lebten in einer Spielart des Stalinismus, würde ich meinen. Diese Spielart war in der DDR nicht in Reinkultur zu sehen, sondern es gab immer noch genügend positive Akzente der Persönlichkeitsentwicklung. Wir waren eines der fortgeschrittensten Länder im RGW. Wir standen in Europa gut da. Wir hatten auch etwas Stolz. Denn uns steht ja das mächtigste Land des Kapitalismus in Europa gegenüber. Aber es gibt nicht nur den Kapitalismus der BRD, es gibt den Kapitalismus in Brasilien, in der Türkei, in Spanien, in Italien, und denen geht's nicht so gut. Wir sollten also auch nicht alles schlecht machen. Trotz Stalinismus gibt es auch positive Erscheinungen bei uns, und viele Menschen haben sich für die Befreiung des Menschen vom kapitalistischen Joch, für normale soziale Absicherung und Disziplin, für Geborgenheit und für soziale Sicherheit eingesetzt. Dafür sind viele Menschen auf die Straße gegangen zum 1. Mai und zum 7. Oktober. Das waren Massen! Sie sind zur Wahl gegangen und haben etwa zu 80 Prozent die soziale Sicherheit gewählt. Das sollte man nicht unterschätzen. Waren das alles Stalinisten? Nein! Sie haben auch gesehen, welche Erfolge unsere Republik hat. Und daß wir heute Frieden haben, ist auch ein Erfolg des Sozialismus. Auch des stalinistischen. Das müssen wir ja auch sehen. Dadurch, daß es viele positive Ergebnisse gab, konnten sich viele mit unserem Ziel identifizieren. Deshalb hat sich dieser administrativ stalinistische Sozialismus so lange gehalten.

Leider verstehen wir in dieser aktuellen Situation nicht, durch gute Argumentation die Werte, die wir haben, zu verteidigen. Wenn ein Land wie die BRD die fast niedrigste Geburtenrate in Europa hat, na, dann frage ich mich, warum? Kinderfeindlichkeit ist doch was Schreckliches! Kinder sind unsere Zukunft, und kann deshalb diese Gesellschaftsordnung unsere Zukunft sein? Das sind keine Eigenschaften, die wir übernehmen sollten. Da sollten wir was einbringen.

Mir tut weh, wie sich unser Volk zuweilen verhält. Man biedert sich an, aus Angst, den Anschluß zu verlieren, und aus Bedürfnissen heraus, die nur ein Stückchen Konsumwelt in den Mittelpunkt setzen und weniger die Selbstverwirklichung, weniger die Solidarität, weniger die Wärme der Menschen untereinander.

Richtig, man möchte gut leben, sich was leisten. Dafür lebt doch der Mensch. Es ist richtig, daß sich der Mensch die Welt anschauen muß, und dafür müssen wir auch die Bedingungen schaffen. Aber jetzt herrscht doch eine gewisse Pullover-Ausverkauf-Situation, man weiß ja nicht, wann mal wieder was kommt. Alles, was von drüben ist, ist gut. Diese Meinung findet man überall, bei den Wendehälsen, in der Wirtschaft, den Amateurkapitalisten, die mit Methoden arbeiten, die in der BRD schon lange nicht mehr gang und gäbe sind, die sich anbiedern und den Ausverkauf beschleunigen. Und unsere Menschen, wie man sieht, lassen es sich gefallen, weil sie Angst haben. Sie haben Angst um ihre Existenz, um ihre Zukunft, und wieder bestimmt der Handlungsregulator Furcht. Früher, vor der Wende, war es die Furcht vor dem stalinistischen Vorgesetzten, auch vor uns, dem MfS, heute die Furcht vor der Zukunft. Was wird, wenn die oder die einmal regieren? Dann muß ich ja konform sein und konform gehen. Das läßt viele erneut abgleiten in Anpassung.

Ach ja, welche persönlichen Empfindungen habe ich gegenwärtig? Haß empfinde ich nicht. Mitleid vielleicht. Die Inkompetenz, die uns regiert hat, darüber bin ich sehr traurig, daß es uns nicht gelungen ist, Menschen in die Führung hineinzuentwickeln, die über genügend Sachkompetenz verfügen und entsprechende Maßnahmen hätten realisieren können. Wir verstanden sehr gut, Direktiven mittels Repression durchzusetzen. Nach unten! Aber weniger, kreativ und sozialintegrativ mit den Menschen zu arbeiten. Vorauszudenken, was denkt der Mensch, wie handelt der Mensch, welche Bedürfnisse hat er. Dazu war die Leitungsebene nicht in der Lage, sie hätte Instrumentarien bedurft, die als Korrektiv wirkten, das heißt, den Wissenschaftler als Berater, den wissenschaftlichen Berater in Sachen Führung und Leitung. Und das war nicht nur eine Erscheinung im Ministerium für Staatssicherheit, das war eine Erscheinung der Gesellschaft generell. Leute mit wenig Kompetenz hatten über Zusammenhänge entschieden, die sie gar nicht überblickten. Sie hätten sich des Handwerkzeugs Wissenschaft bedienen müssen. Aber sie hatten Angst vor der Wissenschaft, das war für die Leiter Theorie. Wir haben ausreichend Analysen angeboten, auch ich, über die Befindlichkeit unserer Menschen. Doch umsonst, alles wurde ignoriert und verkleistert. Ich denke nur an den 1. Mai, an den 7. Oktober, wo viele Menschen ehrlichen Herzens demonstriert haben, für unsere Republik, vorbei am Politbüro. Das hat diesem natürlich den Blick etwas getrübt über die Realität. Man nahm die Jubelerscheinungen als Realität, man hat oberflächlich Erscheinungen bewertet und ist nicht zum Wesen vorgedrungen. Viele Wissenschaftler haben diese Erscheinung auch mundgerecht, wunschgerecht aufgearbeitet. Warum? Weil sie ja auch meinten, in einer gewissen Hierarchie mit Privilegien ausgerüstet zu werden. Das ist ein ganz normaler sozial-psychologischer Mechanismus. Wenn man demjenigen, der Macht hat, zum Munde spricht, und dann in Kreise kommt, wo man mit Privilegien, egal welcher Art, konfrontiert wird, setzt man sich ab von der Masse. Man wird etwas Besseres. Und danach hat man gestrebt. Deshalb hat man nicht nach den Wünschen der Massen geforscht, es ging einem ja selbst gut. Und so haben viele gedacht, durchgängig durch die gesamte Gesellschaft, in jedem Bereich. Nur um die Karriere zu sichern, wider besseres Wissen.

Privilegien sind etwas Besonderes, das andere Menschen nicht haben. Ich habe mich für diese Arbeit im

Ministerium nicht entschieden, um Privilegien zu haben, sondern um ein Ideal, ein mir anerzogenes Ideal zu realisieren. Jawohl, es gab keine schlechte Besoldung. Aber die dafür zu leistende Arbeit, die Zeit, Kraft, Investition waren enorm. Es wurde kein Wochenende, keine Abendstunde zusätzlich vergütet. Es wurde keine Einsatzbereitschaft vergütet, und für die Mitarbeiter vor allem im operativen Dienst stand es überhaupt nicht zur Debatte, den Sonntag für sich zu beanspruchen, wenn man eine operative Aufgabe zu realisieren hatte. „Privilegien" hatte man auch in der Richtung, daß man sich Frustrationen unterwerfen mußte, die ein ganz normaler Bürger der DDR nicht hatte. Ob das nun die Kontakte waren, die man pflegen durfte, ob es die Restriktionen waren, was die Reisemöglichkeiten anbetraf, die gesamten zwischenmenschlichen sozialen Beziehungen, die man aufzubauen hatte! In gewisser Hinsicht durchliefen wir alle eine Fehlentwicklung. Es gab so ein Stückchen paranoische Erscheinung: nämlich sehr aufmerksam und wachsam umherzulaufen. Dabei entsteht eine charakterliche Spezifik, auch dadurch befördert, daß man nicht so unmittelbar in diesen Prozessen des Volkes drin war. Wir waren immer unter Genossen, ob im Dienst, im Nachtdienst, bei Parteiveranstaltungen, oft auch im Privatleben. Wir lebten in einer Reinkultur, so schön abgeschottet von den Viren. Das hat natürlich eine Spezifik des Charakters mit sich gebracht, wie sie jetzt manchmal dargestellt wird, als Knechtende, Unterdrückende, Bespitzelnde. Das akzeptiere ich nicht. Das ist nicht so. Wir haben genauso gefühlt, wir haben genauso gedacht wie eine breite Masse des Volkes. Wir waren ein Teil und sind ein Teil des Volkes. Und man muß bedenken, daß auch wir unter diesem stalinistisch-administrativen System gelitten haben. Manchmal vielleicht mehr gelitten als der, der sich freischwimmen konnte. Denn extrem frustriert zu werden, ist das schlimmste! Nicht für umsonst sind viele Mitarbeiter krank geworden. Herz-Kreislauf-Krankheiten, Magen, psychische Fehlentwicklungen, Alkoholabhängige, auch Suizide. Natürlich hat die Tätigkeit geprägt, aber sie hat nicht total verprägt. Das würde ja bedeuten, daß alle, die beim BND sind oder sich beim Verfassungsschutz mit geheimdienstlicher Arbeit beschäftigen, ähnliche Fehlentwicklungen durchmachen.

Worin wir uns vom BRD-Geheimdienst unterscheiden? Es sind beides Geheimdienste, die mit spezifischen Mitteln und Methoden arbeiten, und wo es darum geht, Menschen für die Arbeit zu gewinnen. Ich sage Ihnen, die Methodik unserer Arbeit war es vorrangig, Menschen freiwillig für die Zusammenarbeit zu gewinnen, freiwillig mit der Motivation, für den Frieden, für die Stärkung der DDR zu kämpfen. Menschen im Operationsgebiet, die humanistisch ausgerichtet waren, die wußten, welche Kriegsgefahr auch von dem Kapitalismus/Imperialismus ausgeht, haben sich bewußt für die Zusammenarbeit mit uns entschieden. Man sollte die Leistungen des Ministeriums auch unter diesem Gesichtspunkt sehen und jetzt nicht vorschnell eine Einheitssuppe kochen aus allem, was geschehen ist.

Natürlich haben wir zu stark nach innen gearbeitet. Aber was heißt flächendeckende Überwachung? Mißtrauen gegenüber einer breiten Masse der Bevölkerung. Punktuell stehe ich zu dieser Arbeit, was die Bekämpfung von feindlichen Erscheinungen betrifft, von Spionage und Sabotage, aber, und hier liegt das große Problem: Es wurden Menschen, die nicht so dachten, wie staatsmäßig angewiesen, die als abartig, abnorm und andersdenkend hingestellt wurden, total überwacht. Das war falsch. Und unter dieser falschen Sicherheitspolitik, der extremen Auskundschaftung von negativen Entwicklungen der Andersdenkenden hat die Arbeit gelitten. Doch total flächendeckend konnte die Arbeit nicht sein, na, dann wäre diese Entwicklung nicht so gekommen, wie sie jetzt gekommen ist. Dann hätte man flächendeckend zugedeckt. Mit Gewalt zugedeckt.

Was ich als Psychologe unter Andersdenken verstehe? Das ist eine interessante Frage. Anders zu denken heißt ja nicht gleich, falsch zu denken. Dieses Abqualifizieren: anders denken heißt falsch denken, hat zu falschen Feindbildern geführt. Das ist für uns, die sich gerade mit menschlichen Problemen beschäftigt haben, ein Irrtum gewesen. Man hat keine echte Motivanalyse durchgeführt. Warum setzt sich ein Mensch für Frieden, Menschenrechte, Demokratie ein? Man hat es sehr vorschnell als feindlich abgestempelt. Aber ich kann Ihnen versichern, auch innerhalb unseres Ministeriums gab es diese Erkenntnisse bei Mitarbeitern, daß wir da einer Selbsttäuschung erliegen, weil wir uns mit vielen Fragestellungen und Problemen, die die Andersdenkenden aufwarfen, identifizieren konnten. Doch es war in diesem restriktiven Apparat, wo man stets mit Negativsanktionen rechnen mußte, nicht möglich, in die Offensive zu gehen. Und daß es innerhalb des Apparates dieses Denken gab, zeigt ja die friedliche Revolution. Wenn es das nicht gegeben hätte, hätte es nie diese friedliche Revolution gegeben. Dann hätte es eine blutige gegeben. Aber so gab es doch eine hohe Identifizierung mit den Zielen des Aufbruches im Oktober/November. Das muß man so sehen! Und man sollte auch die Andersdenkenden jetzt nicht alle in einen Topf werfen! Im Oktober/November gab es unter ihnen viele Randalierer. Es gab welche, die sich in dieses Boot der Andersdenkenden schnell noch versuchten hineinzuschummeln und es auszunutzen für ihre ganz egoistischen Zwecke und Ziele.

Genauso die Frage, warum Menschen weggegangen sind. Jawohl, es gab Enttäuschte, es gab Menschen, die politisch vergewaltigt wurden. Aber es gab und es gibt auch darunter wirklich Menschen, die maßgeblich von ihrem spießbürgerlichen Denken, wie Stefan Heym sagt, determiniert sind! Und unser Problem war, daß wir nicht zum Wesen der Erscheinung vorgedrungen sind. Die Prozesse, die wir im Oktober/November durchgemacht haben, waren vorhersehbar, und da muß ich sagen, daß die Führung des Ministeriums in dieser Phase versagt hat. Deshalb können viele Mitarbeiter der Führung echte Vorwürfe machen. Die Mitarbeiter verlangten Ehrlichkeit, verlangten klares Auftreten der Führung und nicht Geeiere und Ausflüchte. Sie verlangten, der Gerüchteküche durch Offenheit, durch nachprüfbare Informationen zu begegnen. Das ist nicht geschehen, und aus diesem Grunde waren wir in dieser Situation nicht progressiv.

Tja, wie weiter? Es gibt eine breite öffentliche Meinung, die negativ ist, was uns anbetrifft und unsere Aufgabenstellungen. Man könnte sehr depressiv werden, und viele Mitarbeiter sind es. Sie sind enttäuscht von dem Ministerium. Sie fühlen sich auch von der stalinistischen Führung benutzt. Diese Verbitterung sitzt sehr tief. Sie geht einher mit Schuldgefühlen, so daß bei vielen Mitarbeitern inzwischen das Selbstbewußtsein fast auf dem Nullpunkt ist. Sie verstehen momentan nicht zu kämpfen, auch weil sie als Buhmann der Nation überhaupt keine Rechte mehr hätten, nun an dieser Erneuerung aktiv mitzuwirken. Sie verstecken sich am liebsten. Sie tauchen unter und haben Angst. Sie sind auch ein Teil unserer Menschen! Wir können ja nicht die halbe DDR, alle, die in diesen Prozeß integriert waren, ausgrenzen. Die Mitarbeiter sind zum Teil so weit, daß sie sich nur freuen zu überleben. Ihr Selbstbewußtsein muß wieder aufgebaut werden. Viele Mitarbeiter, die gute Qualifikationen haben, arbeiten heute in ungelernten Berufen. Das muß man sich mal vorstellen. Sie haben jahrelang studiert, haben ihre Arbeitskraft zur Verfügung gestellt und Einsatzbereitschaft gezeigt. Da finde ich die Haltung der Kirche und auch vom Neuen Forum, von Demokratie jetzt und anderen, die helfend auftreten, vorbildlich. Es gibt unter den ehemaligen Mitarbeitern Suizide, das Abgleiten in Alkoholismus und andere Erscheinungen. Sie brauchen Hilfe und Orientierung, daß sie lernen, sich den neuen Konflikten zu stellen und mit ihnen umzugehen. Jetzt ist eine Situation eingetreten, wo Angst vorherrscht. Und aus Angst und Furcht gehen die ehemaligen Mitarbeiter auch in Berufe, die nicht ihrer Qualifikation entsprechen. Das ist ein echtes Problem, ein Stückchen Persönlichkeitsabbau. Man muß ihnen zeigen, daß sie trotz dieser Tatsache, „Buhmann der Nation" zu sein, Menschen sind, die sich für den Menschen eingesetzt haben. Wenn es auch welche darunter gab, die negativ gehandelt haben, so doch vermeintlich erst mal im guten Sinne, im Sinne der Staatspolitik. Heute sehen sie ihre Arbeit unter anderen Gesichtspunkten, kritischer als vorher, nur, man läßt sie jetzt allein mit diesem Problem, wie man sie auch in den letzten Monaten seitens der Führung des Ministeriums allein ließ.

Hm. Unsere Führung. Sie war keine. Sie gibt's auch nicht mehr, diese Führung. Bei uns hat man zwischen den omnipotenten Führern und den Geführten unterschieden. Hier war der kluge Führer oder Erzieher, und der andere wurde erzogen und geführt. Er war nicht Subjekt.

Wie unsere Generale zurechtkommen, ist mir wurscht. Der kleine Mitarbeiter, um den geht es mir. Er sollte auf keinen Fall als Maulwurf in den Untergrund abgleiten. Er braucht jetzt einen Solidaritätsbeweis. Und ich bin der Meinung, daß es im Volk einen Umdenkungsprozeß geben wird. Aber dazu ist notwendig, daß die Medien sachlich aufklären. Nicht mit Halbwahrheiten schüren.

Nun reiten Sie doch nicht immer darauf herum, daß wir uns hätten wehren müssen! Wie denn?! Es gab unter den Mitarbeitern in den letzten Jahren immer den Gedanken, von der Sowjetunion lernen. Das hat sich aber nicht in der breiten Masse und in der Führung durchgesetzt. Die Disziplinierung war enorm. Wenn du jetzt etwas sagst, mußt du mit Sanktionen rechnen, dachten die Mitarbeiter. Mitunter wäre die sofortige Entlassung die Folge gewesen. Ein Putsch, ausgehend vom Ministerium, wäre aufgrund der Konstellation in unserer Republik nötig gewesen, das Potential dazu, das geistige Potential und praktisch auch die Aufgeschlossenheit gegenüber solchen Prozessen waren schon 1984/85 da. Das ist für mich ganz klar. Diesen Vorwurf muß auch ich mir machen, nämlich trotz des Wissens über die Erscheinungen in Ohnmacht und Disziplinierung verfallen gewesen zu sein. Wir fürchteten aber auch das Innenministerium. Durchaus. Aber es hätte auch einer echten Führungspersönlichkeit bedurft, die latente Meinung herauszufinden, zusammenzuführen und damit zu Aktivitäten zu kommen. Die gab es nicht. Erst ab November gab es Mißtrauensanträge, massiv, kollektive Beschwerden gingen nach oben, sowohl in der Abwehr als auch in der Aufklärung. Hier gab es auch mutige einzelne Kollektive, die sich gegen bestimmte neue Kompromisse im November aussprachen. Aber immer die Angst, was wird werden? Einer, der genügend Kompetenz hatte, konnte sich gegenüber einer dümmlichen Führungsmannschaft nicht durchsetzen. Dem wurde intellektuelles Gespinne vorgeworfen und theoretisches Geschwafel. Es wurden scharfe Sprüche von Sicherheit und innerer Sicherheit strapaziert, auch damit wurde diszipliniert. Viele hatten Angst vor der Disziplinarabteilung innerhalb der Abteilung Kader und Schulung, die verantwortlich war für die innere Sicherheit. An sich war es die Aufgabe dieser Abteilung, die Mitarbeiter verantwortlich zu schützen. Aber immer war bei den Mitarbeitern Angst vorhanden. „Jetzt kommt wieder was, jetzt mußt du eine Stellungnahme schreiben, das gibt wieder einen Negativpunkt", so dachten sie.

Aber ich kenne auch aus dieser Abteilung Disziplinar-Mitarbeiter, die es verstanden, die psychische Seite des einzelnen zu berücksichtigen. Trotzdem, es war nicht gerade angenehm, mit Disziplinarleuten zu tun zu haben, es hatte immer ein negatives Vorzeichen.

In unserer Kaderpolitik haben wir nicht auf Qualität geachtet, sondern auf Quantität. Wir meinten, durch Masse Qualität zu erreichen. Das ist nicht gelungen, denn ein imkompetenter Haufen kann nicht erfolgreich arbeiten. Wir hätten differenzierter, was die Eignung anbetrifft, arbeiten müssen, und nicht nur danach gehen sollen, wie einer sich mit kräftigen Worten darstellt. Fachliches Wissen wurde immer weniger gefragt.

Die Elite wäre kritischer gewesen! Hier sind wir von falschen Prämissen ausgegangen bei der Kaderauswahl. Werkzeug zu sein und nicht Hammer, das kann man mit einer breiten Masse, die blind arbeitet. Denkarbeit bedeutet Analyse.

Nein, munter sind wir auch noch nicht geworden, als die große Ausreisewelle begann. Aber empört waren wir. Ich war empört über die Ohnmacht und Ratlosigkeit, wie darauf reagiert wurde. Viele Mitarbeiter, die ich kenne, forderten zu dieser Zeit, daß kategorisch gehandelt wird, aber nicht gegen Andersdenkende, sondern gegen die Ohnmacht der Partei- und Staatsführung. Die Mitarbeiter, die diese Übersiedlungsanalysen erstellten, haben nie versucht, die wahren Gründe zu eruieren, die die Menschen veranlaßten, zu gehen. Es gab doch unter dieser Masse Ausreisender auch Menschen, die sich mit unserer DDR nicht identifizieren konnten, die kein Nationalgefühl hatten. Also hätten wir uns kritisch betrachten müssen und sagen, es ist uns nicht gelungen, den Menschen eine Heimat zu geben. Das hätte an die Wurzeln und Quellen geführt, die wir heute kennen. Wir hätten eher erkennen müssen, wohin uns der stalinistisch-dirigistische Stil der Führung bringt.

Sie haben recht! Es war alles auch herrlich bequem. Man wußte, wie die nächsten Jahre sich entwickelten, wenn man sich anstrengte, wenn man sich konform verhielt. Man hatte seinen Trabant, man hatte seine Datsche. Es war ja alles so schön. Aber man hatte nicht die wahren Werte in sich, und es blieb viel Menschliches auf der Strecke, Humanitätsgefühl, was dann von der Kirche besetzt wurde. Solidarität untereinander. Das Gefühl für den anderen blieb auf der Strecke. Die breite Masse war bequem und träge. Und wir können heute froh sein, daß es eine zielorientierte kleine Gruppe gab, die vieles auf sich genommen hat, auch viele Negativsanktionen von dem Ministerium für Staatssicherheit. Eine Gruppe, die mit diesen Idealen behaftet war: „Wir wollen einen besseren Sozialismus." Es war mutig.

Wie geht es nun weiter? Das frage ich mich immer wieder. Der Sozialismus ist gescheitert als stalinistischer, ja, aber nicht als Ideal für die Menschheit, bestimmt nicht. Denn welche Gesellschaftsordnung bringt es fertig, die Selbstverwirklichung als Massenerscheinung zu realisieren? Der Kapitalismus nicht. Deshalb sollte man die demokratische Spielart des Sozialismus zum Ziel der Gesellschaftsordnung in spe machen. Leider ist das sehr verschüttet momentan, und es ist makaber, daß gerade jetzt diejenigen, die im November den stalinistischen Sozialismus beseitigt haben, heute enttäuscht darüber sind, daß ihre Initiativen im Kapitalismus ertränkt werden. Ich hätte nicht geglaubt, daß ein Volk so wenig Selbstwertgefühl und Selbstbewußtsein hat! Das Volk rief danach: „Macht die Grenzen auf!" Gut. Jetzt merken wir, wie stark materielle, ökonomische Bedingungen verhaltensbestimmend sind. Wir schlittern in eine Phase, wo der Konsum ganz oben steht, wo eine Zweidrittelgesellschaft auf der Tagesordnung steht, und das ist schlimm.

Wir haben die Menschen deformiert durch Unterdrückung. Richtig. Aber ich habe mich als klinischer Psychologe nicht daran beteiligt. Ich kann Ihnen ganz ehrlich sagen, ich hatte oft Kämpfe gegen die Vorgesetzten, die meinten: „Der denkt nicht so wie wir, also mußt du ihn krank machen. Guck' ihn dir mal an und bieg ihn wieder hin." Ich habe ihn nie verbogen. Ich habe den Menschen meistens geholfen, mit den Problemen zurechtzukommen und seine Konflikte adäquat zu verarbeiten, ihn nie zu vergewaltigen. Ich könnte Ihnen Beispiele nennen! Es waren die Leiter ganz oben. Alles, was nicht so war, wie sie sich das vorstellten, alles, was andersartig war, war vielleicht sogar krank. Und das hat mich natürlich auch in den Jahren belastet, nämlich als Brunnenzieher gewirkt zu haben. Es tat mir sehr wohl, als ich sah, wie am Runden Tisch in anderen Zusammenhängen menschliche Würde praktiziert wurde. Hätten wir uns zeitiger zusammengetan, hätten wir die Fehlentwicklung des Sozialismus, und es war eine Fehlentwicklung, verhindern können. Fehlentwicklungen neurotischer Natur sind reparabel. Das heißt, wenn einer neurotisch ist, kann die Zuleitung zur „Birne" nicht in Ordnung sein, es ist also eine Fehlleitung. Aber es ist eine Störung, die behoben werden kann durch Psychotherapie. Deshalb müßten wir an sich für die gesamte Gesellschaft eine Art Psychotherapie verordnen. Und das liegt dann bei jedem selbst. Jeder muß die Akzeptanz in sich haben, eben auch einem Menschen gegenüber, der anders ist. Ob er nun homosexuell ist, ob er so denkt oder so denkt. Das oberste Gebot ist Akzeptanz. Und das haben wir nicht gelernt. „Wenn du nicht so willst wie ich, dann bist du mein Feind." Das war die Maxime. Das war unser Fehler. Typisch deutsch. Und da sind wir schon wieder bei diesen ganzen Problemen der Entwicklung, wo sie hingehen kann, dieses arrogante, überheblich Großdeutsche kommt durch. Viele Menschen in der Welt verstehen die DDR-Bürger nicht mehr, verstehen die Deutschen nicht mehr. Was soll das werden? Wir stehen doch schon fast vor der Tatsache, in den nächsten Jahren wieder nach dem Osten zu marschieren. Deshalb kann man froh sein, daß es diese stabilen, progressiven Kräfte gibt in unserem Land, die sich als Opposition entwickelten. Vor dieser treibenden Kraft haben die neuen „stalinistischen" Kräfte Angst. Meine Theorie ist, daß wir gemeinsam mit den positiven Kräften in der BRD eher einen Sozialismus aufbauen könnten als mit unserer verführten, konsumorientierten Masse. Die Menschen müssen durch das Tal des Konsums durch. Deshalb müssen wir diese Etappe durchmachen. Wie lange sie dauern wird, das weiß ich auch nicht.

Schlimm ist nur die Tendenz: Es werden Schuldige gesucht. 1937 waren es die Juden, jetzt ist es die Staatssicherheit. Es wird ein ähnliches Szenarium, leider, aber wir müssen uns stellen. Noch haben wir die Vergangenheit nicht bewältigt. Wir haben sie zu schematisch dargestellt. Und wir haben nicht die wirklichen Erfahrungen weitergegeben. Jetzt haben wir dieses großdeutsche Phänomen, daß wir die Entwicklung gar nicht mehr in den Griff kriegen, weil sie sich verselbständigt hat und ein Stefan Heym, eine Christa Wolf, ein Konrad Weiß plötzlich zu den Negativkräften werden. Das muß man sich mal vorstellen! Die für eine positive Entwicklung eintreten, sind heute Feinde. Und alles auch unter der Führung der BRD. Nicht für umsonst wird eben von einem Bundeskanzler Kohl nicht eindeutig zur Grenze Stellung genommen. Weil sein Wählerpotential auch die Vertriebenenverbände sind. Wählt ihr heute CDU, CSU und die ganze Allianz, dann wählt ihr die Vertriebenenverbände. Was wollen die Vertriebenenverbände? Ein Deutschland von 1937! Ich bin enttäuscht. Die Psychoanalytiker hatten doch recht, der Mensch ist in erster Linie durch Macht bestimmt. Das möchte ich mir einfach nicht eingestehen, daß es so ist. Viel zu wenig differenziert befassen wir uns damit. Leider. Mit diesen Wurzeln der Brutalität, des Rechtsrucks, auch des Neofaschismus! Und es war im Herbst natürlich nicht unbedingt klug, den Neofaschismus gleich sooo hinzustellen, wo er klein war. Das hat wieder einiges provoziert. Wir müßten uns zusammentun, und wir müßten über die Wurzeln, über die psychologischen, konstituierenden Momente sprechen und dann zu Aktivitäten kommen.

Ich bin für keinen Geheimdienst mehr zu haben

Werner, 41 Jahre,
Hauptverwaltung Aufklärung

Ich bin mir vollständig darüber im klaren, daß es viele Dinge gab im Ministerium, die so, wie sie passiert sind, nicht hätten passieren dürfen. Das betrifft insbesondere den Bereich der inneren Sicherheit, und das betrifft für meine Begriffe auch die Strukturierung des MfS überhaupt. Man könnte ja fast sagen, daß etwa drei Viertel des Mitarbeiterbestandes sich mit der inneren Sicherheit befaßt haben, und diese Zahl ist einfach zu groß. Das hängt aber nicht nur mit dem Ministerium zusammen, sondern das hängt ja mit der Politik an sich zusammen. Man hat versucht, mit diesem Machtorgan Probleme zu lösen, die man politisch hätte lösen müssen. Das sind Dinge, die mir bekannt sind durch meine langjährige Tätigkeit als Lehrer, aber auch durch meine Tätigkeit innerhalb des Organs, denn ich habe nicht bei der Aufklärung, sondern bei der Abwehr angefangen, in einer Kreisdienststelle in Halle. Von der Pike auf hab' ich das Handwerk gelernt.

Die Absicht einiger führender Politiker war – diesen Eindruck habe ich vor allem während des Auslandseinsatzes bekommen, wo ich mit Politbüromitgliedern zu tun hatte, die ich betreuen mußte –, man könne so eine Art Käseglocke über die DDR stülpen und dann ein völlig friedliches, von der Außenwelt abgeschirmtes Leben führen. Das klappte aber nicht, weil natürlich die wachsende Ganzheitlichkeit der Welt, ob das die

Probleme des Umweltschutzes sind oder der internationalen Arbeitsteilung der Wissenschaft, der Ökonomie, aber auch andere Dinge, zum Beispiel das Verständnis der Menschenrechte, in die gegengesetzte Richtung führte. Während man lange mit Ausreiseanträgen nichts zu tun hatte, kam dieses Problem insbesondere nach 1975 massiv auf die DDR zu, hervorgerufen durch die Helsinki-Schlußakte, insbesondere den Korb 3, der immer ein bißchen runtergespielt wurde. Aber der Korb 3 sprach natürlich besonders die Bevölkerung an, den normalen Bürger, so daß man eigentlich das falsche Feindbild auch damit malte, daß jeder, der einen Antrag stellte oder unsere Republik verlassen wollte, gleichgesetzt wurde mit einer Person, die, sagen wir mal, auf unserem Territorium als Militärspion oder Industriespion tätig war. Um diese Problematik hätte man sich politisch kümmern müssen, nicht mit einem Sicherheitsorgan.

Und noch etwas: Man wollte besser sein als westliche Geheimdienste unter dem Motto: „Wir zersplittern uns nicht, wir packen Aufklärung, Abwehr, Strafvollzug und was alles dazugehört in ein Ministerium". Dadurch wäre die Zusammenarbeit zwischen Aufklärung und Abwehr leichter, meinten wir, was tatsächlich nie der Fall war. Es gab immer einen Neid der Abwehr auf die Aufklärung aus verschiedensten Gründen, es gab immer Reibereien zwischen beiden. Hinzu kam, daß man tatsächlich den Staat im Staate schaffte. Die Mitarbeiter verkehrten vor allen Dingen untereinander – das war auch beabsichtigt –, verbrachten ihre Freizeit möglichst untereinander. Wer das nicht tat, war schon Außenseiter! Der wurde schon ein bißchen scheel angesehen. Dann, drei Viertel des Ministeriums beschäftigten sich mit Abwehrfragen, das ging bis zum Westfernsehen, das nicht gesehen werden sollte. Also ich war in einer Kreisdienststelle tätig, dort konnte man nicht sagen, daß man Westfernsehen gesehen hat, das existierte einfach nicht!

Hinzu kam die Tatsache, daß durch den Bundesnachrichtendienst bestimmte Verbindungen tatsächlich über Verwandte aufgenommen wurden. Das war uns bekannt, so daß wir natürlich annehmen mußten, daß nach der Helsinki-Schlußakte der Gegner – wie wir ihn bezeichnet haben – diesen Korb 3 nutzt, um seine Ziele zu verwirklichen, sprich „Anwerbung von DDR-Bürgern". Da auf diesem Weg tatsächlich was passiert ist und auch Leute verhaftet wurden, war für die Leitung des MfS klar: „Jawohl, das ist der Weg." Nun ist es in einem Geheimdienst tatsächlich so: man bearbeitet zum Beispiel 500 Leute, und einer ist es. Und noch eins: es wurde versucht, auch mit Hilfe der Partei den Eindruck zu erwecken, daß wir tatsächlich etwas ändern könnten. Also viele junge Leute sind zu uns gekommen, weil sie mit den Verhältnissen nicht einverstanden waren, und wir glaubten, wir seien das Rückgrat der Nation, wir könnten an diesen Verhältnissen etwas ändern, indem wir die Parteiführung mit Informationen aus allen Bereichen versorgten. Außerdem hat man innerhalb des Apparates viel zu wenig verjüngt. Also Leute mit klugen Ideen hat man nur zum Teil hochkommen lassen. Im Gegensatz zu allen anderen Berufen gibt es in einem Nachrichtendienst oder in einem Geheimdienst einen Vorteil, den der Vorgesetzte hat: er verfügt immer über mehr und detailliertere Informationen als der Mitarbeiter. Es hat also nichts mit der Intelligenz zu tun, sondern er weiß einfach mehr als sie, weil er mehr Zugang zu Informationen hat, so daß die Jüngeren, selbst wenn sie klügere

Argumente hatten, wenn sie meinten, diese oder jene Sache besser lösen zu können, stets den kürzeren zogen. Aber das innere Empfinden war da, und unter den Mitarbeitern hat man sich ausgetauscht. Da wir jedoch ein rein militärisches Organ waren, bestand gar keine Möglichkeit, sich dagegen zu wehren. Jede Äußerung wäre sofort als politische Unklarheit deformiert worden. Hinzu kam, die Arbeitspläne der Mitarbeiter waren so, daß sie nicht erfüllbar waren. Ich sage es mal so brutal. Es gab immer Dinge, die sie nicht erfüllt haben. Dadurch wurde automatisch ein gewisses Schuldgefühl erzeugt. Selbst wenn sie um einen besseren Vorschlag kämpften, würde ihr Vorgesetzter immer sagen: „Ja, gut, aber das und das und das hast Du ja überhaupt noch nicht erfüllt. Kümmere Dich erst einmal darum, ehe Du hier Vorschläge bringst, von denen wir nicht überzeugt sind, daß sie gut sind."

Sie haben recht, die Mitarbeiter wußten durchaus von den Mißständen im Land, von dem wachsenden Unmut der Bevölkerung. In der ZAG liefen alle Informationen über Ausreisewillige ein. Ich weiß von Mitarbeitern in der Abwehr, die über Jahre Akten erarbeitet hatten und sagten, „diese Leute könnten wir nach den bestehenden Gesetzen eigentlich inhaftieren. Aber aus politischen Gründen ginge das im Moment nicht". Für die Leute ist sozusagen die Inhaftierung „die Krönung ihrer Arbeit" gewesen. Meist wurde aber nicht verhaftet, lediglich mal den Umweg über Hohenschönhausen, für kurze Zeit, aber man spürte, daß dieses Organ gegenüber der Bevölkerung immer machtloser wurde. Diese Machtlosigkeit nahm die Generalität nicht so hin, sondern der Zorn darüber richtete sich dann gegen die eigenen Mitarbeiter. Die Mitarbeiter haben das natürlich bemerkt und haben sich zu wehren versucht.

136

Daraufhin wurde der psychische Druck auf die Mitarbeiter verstärkt. Also sprich: „Wir sind ein militärisches Organ, bei uns wird befohlen." Der Mitarbeiter kann nicht die Gesamtzusammenhänge erkennen, dazu ist sein Arbeitsgebiet zu klein. Er muß schon, wie sagte man, „unerschütterliches Vertrauen in die Politik der Partei haben". Hinzu kam diese, na, ich würde sagen, überzogene politische Schulung. Es gab jeden Montag eine Fachschulung über mehrere Stunden. Es gab jeden Montag parteiliche Veranstaltungen, sei es Gruppenversammlung oder Parteilehrjahr, es ging aber immer um dienstliche Dinge. Hinzu kam dieses Schuldgefühl: Ich habe ja meine Aufgaben nicht erfüllt. Das ging ja auch nicht mehr, denn durch die Bürgerbewegungen wurde die Arbeit immer mehr. Es kam insbesondere in den letzten anderthalb Jahren noch etwas hinzu: Wenn Leute aus der Abteilung XX, die sich mit der Kirchenpolitik befaßte, mit Kultur- und Geistesschaffenden, die Frage stellten: „Warum, Genossen, setzt ihr euch nicht mit Pfarrer Eppelmann, mit Bärbel Bohley und anderen an einen Tisch und diskutiert mit ihnen? Warum?", da kam von führenden Leuten eine Überheblichkeit zum Ausdruck, daß man entsetzt war. Ich meine, man muß doch zunächst mal akzeptieren, daß es Leute gibt, die anders denken als man selbst. Das ist ja das, was uns Deutschen so schwer fällt, das sage ich aber erst seit meinem Auslandseinsatz. In der Aufklärung war das sowieso einfacher. Wer in der Aufklärung arbeiten wollte, mußte sich mit der westlichen Denkweise befassen, sonst konnte man niemanden werben. Das ging schon beim Geld los. Wir redeten hier in der DDR über ein besseres Bezugsscheinsystem, im Westen redet man über Geld, und das ist ein gewaltiger Unterschied. Das mußte man auch den Studenten klarmachen, nämlich, daß die bürgerliche Gesellschaft auch ihre Werte hat.

Doch zurück zur Demokratiebewegung: Wir haben diese Bewegung unterschätzt. Wir haben zwar mit diesem oder jenem Gedanken sympathisiert, wir waren aber der Meinung, daß sie insgesamt keine Chance haben. Wir rechneten nicht damit, daß dieser Staatsaufbau so schnell zerfallen würde. Aber das war die Quittung für all die Fehler, die über die Jahre von der Partei und uns gemacht wurden. Ich selbst habe das immer als schmerzlich empfunden, daß man die Leute nicht einfach reisen ließ. Es gibt ja diesen Ausspruch „Weltanschauung kommt von Welt anschauen". Ich war viele Jahre in Skandinavien. Und wenn ich in Saßnitz im Zug saß und unsere Leute ausstiegen und mich neidvoll anguckten, daß ich weiterfahren konnte, hat mich das innerlich berührt. Wahrscheinlich sollten sie all den Konsum nicht sehen. Na ja. Hinzu kam, daß sie ja auch nie vorbereitet wurden auf diese westliche Gesellschaft. Sie sehen auch heute nur die Geschäfte und den Konsum und keine Hintergründe.

Aber die Ereignisse um den 7. Oktober waren doch für uns ein gewisses Nachspiel. Wir haben doch tatsächlich geglaubt, das sei gesteuert von außen. Was die Frage der Gewalt anbetraf, so bin ich der Meinung, daß es in vielen Diensteinheiten tatsächlich den Befehl gab: „Keine Gewalt!" Ich habe nach dem 7. Oktober Leute unserer Wachmannschaften angesprochen, die mich kannten als Lehrer. Ich habe sie gefragt: „Wie war Ihr Einsatzbefehl?" – „Wir sollten Gewalt verhindern. Wir sollten nur, wenn es in Richtung Staatsgrenze geht, die Leitung verständigen. Wir haben im Colosseum beispielsweise Schnapsflaschen weggeräumt, die dort im Vorraum in Massen standen, damit man sie nicht als

138

Wurfgeschosse verwenden konnte. Wir haben da und dort die Polizei unterrichtet, wenn Demonstranten auf der S-Bahn-Strecke mit Steinen aus dem Fenster beworfen wurden. Aber wir haben weder unsere Waffe benutzt, noch haben wir unseren Schlagstock eingesetzt." – Das war die Antwort meiner Schüler. Das sind natürlich Dinge, die kann man so und so sehen. Eigentlich war das ganze doch Auswirkung dieser Ausreisewelle. Ich persönlich konnte diesen Frust verstehen und war der Meinung, daß es diesbezüglich Veränderungen geben mußte. Wir hatten die Parteiführung ja aus verschiedenen Quellen informiert, daß es diese Ausreisewünsche in der Bevölkerung gab, daß man also irgend etwas tun mußte. Es kam ja dann auch dieses halbherzige Reisegesetz. Wäre ein Reisegesetz ein Jahr früher auf den Markt gekommen, wäre das alles etwas anders verlaufen. Zu der Zeit war es aber natürlich schon weitaus überholt.

Sicher, auch bei uns vollzog sich eine Wandlung. Am 4. November, da kam dieser Knackpunkt. Ein großer Teil der Mitarbeiter empfand durchaus Sympathie für diese Demonstration auf dem Alexanderplatz. Ich habe die Veranstaltung für den Unterricht aufzeichnen lassen. Es war für mich eine ganz beeindruckende Sache, wie man geordnet und ohne Gewalt eine solche Demonstration veranstalten und organisieren konnte. Das war eigentlich der springende Punkt für uns, ein Kampf zwischen diesen Altstalinisten und den jungen Leuten. Jetzt konnte man ja doch mehr sagen. Wir durften aber nicht mehr sagen. Das war auch ein Befehl! Ein Beispiel dazu: Ein Kollege, auch Lehrer, mußte sich verantworten, weil seine Studenten einen Tag vor dem 4. November ein Schreiben an den Minister verfaßt hatten, in dem sie schrieben, es müsse doch die Öffentlichkeit informiert werden darüber, was das Ministerium eigentlich macht, ganz konkret. Also es ging um Öffentlichkeitsarbeit. Und noch am 4. November, zur selben Zeit, als die Demo lief, wollte unsere Leitung den Rädelsführer der Seminargruppe suchen, der dieses Schreiben verfaßt hat. Mein Kollege und ich versuchten, uns dagegen zu wehren. Wir waren zwei Seminarleiter und haben natürlich en bloc gegen die Leitung gestanden. Da kam der Bruch. Klar. Solange wir die Studenten ruhighalten konnten – wir waren ja die einzigen, mit denen sie offen sprachen –, haben wir ganz hervorragende Arbeit geleistet. Sowie wir uns aber auf die Seite der Studenten stellten, haben wir falsch orientiert. Hinzu kam, daß ich zum erstenmal in meinem Leben mit Menschen aus dem MfS konfrontiert war – ich sag das mal so deutlich –, wo ich mir sagte, also aus dem hätte auch ein guter Nazi werden können. Wie die das Verfahren fast genauso wie eine Strafverhandlung gegen die Studenten führten, wie denen dabei die Augen leuchteten! Nein. Da war's bei mir aus. Ich konnte absolut nicht verstehen, wie die sich an der Macht so berauschen konnten. Sowas gehört nicht in den Geheimdienst, und seitdem ist eigentlich ein Bruch da. Dieses System zog sich doch vor allem Leute ran, von denen man glaubte, daß sie linientreu seien. Das sind aber nicht immer die fähigsten Leute. Man hat einfach den Widerspruch nicht geduldet.

An meinem Geburtstag hatte ich eine Kaderaussprache, da hat der leitende Offizier gesagt: „Na, Sie wissen ja, Sie sind jemand, auf den man aufpassen muß". Weil ich immer mal ein paar unbequeme Äußerungen machte, die meinen Vorgesetzten nicht paßten. Hinzu kam, daß es in einigen Bereichen üblich ist, sich absolut anzupassen. Also nehmen wir mal das Außenministerium. Der Botschafter im Ausland, das ist auch sozusagen eine gottähnliche Figur, die etwa einen halben Meter mit den Füßen über dem Boden schwebt. Und diesen Stil hat man dann auch versucht, auf die Aufklärung zu übertragen. Unser Chef, der sich zwar durchaus mit den Ideen von Gorbatschow anfreunden konnte und mit dem man prima diskutieren konnte in Fragen der Außenpolitik, hat trotzdem diese gottähnliche Rolle gespielt. Das ist noch dadurch initiiert worden, daß sie eben bessere Fahrzeuge fuhren und in separaten Speisesälen untereinander verkehrten. Da gab's eben Speisesäle für Leiter, der Mitarbeiter störte nur. Das waren also die Leute, die die Strategien machten. Sie hatten besondere Einkaufsbedingungen, von denen sie glaubten, wir wüßten nichts davon. Wir wußten das natürlich alles sehr genau. Ich persönlich hatte keine Privilegien. Ich habe derartige Autos nicht gefahren, sondern fuhr einen Wartburg. Die Arbeit wurde von den Leuten gemacht, die sozialistische Wagentypen fuhren. Und überhaupt, der Chef einer Aufklärungsabteilung, der kommt dann, wenn alles klar ist, also wenn der Mann gewonnen ist. Die Arbeit wird von den Mitarbeitern gemacht, so daß dadurch eine Art Dirigismus entstand. Sie haben das dirigiert. Es gab natürlich viele fähige Leute, die Gesprächsstrategien entwickeln konnten. Ich hatte einen solchen Chef, das war durch und durch ein Nachrichtenmann, ein guter Nachrichtenmann. Er war dann aber auch der liebe Gott. Deshalb kam auch dieser Frust. Aufklärungsarbeit ist wissenschaftliche Arbeit, die Fächer wie Psychologie und Leitungswissenschaft bedingt, die Führung von Menschen. Sie kann natürlich nur von Mensch zu Mensch funktionieren. Ja, aber da spielen doch Dinge wie menschliches Einfühlungsvermögen, Gesprächsführung, Sympathien eine Rolle!

141

Dann, wie man mit uns umging! Nach meinem Auslandseinsatz hatte ich ein persönliches Erlebnis: Ich habe eine Tochter. Sie hat Asthma und ist hautkrank. Und ich sollte in den Bezirk Halle zurück. Ich mußte also von x Ärzten Atteste bringen. Man hat diese Krankheit einfach nicht akzeptiert, sondern mir unterstellt, ich wolle dort nicht wieder hin, hat also einfach ignoriert, daß mein Kind diese Luft dort nicht verträgt. Diese Situation damals war für mich schlimmer als die jetzige. Ich habe mich damals auf dem Parteiweg beschwert. Daraufhin erhielt ich dann auch postwendend bei der Kaderaussprache einen Verweis, weil ich ja den Beschwerdeweg nicht eingehalten hatte. Das ist gleichzusetzen mit Dekonspiration. Ich hab' aber erklärt, ich hätte mich nicht beim Gegner beschwert, sondern bei der Partei. Das spielte keine Rolle. Und erst als man merkte, mit welcher Konsequenz ich diese Angelegenheit betrieb, konnte ich in Berlin bleiben. Ich habe dabei gespürt, daß mein Telefon abgehört wurde und viele andere Dinge mehr. Natürlich, als geschulter Nachrichtenmann spürt man das! Man stellt sich auch darauf ein. Ich habe bestimmte Dinge nur am Telefon gesagt, die mir nachher in der Aussprache vorgehalten wurden, also war mir klar, wo sie herkamen. Man hätte mich auch sicher gerne aus dem Organ entfernt, aber mit meiner Erfahrung gab es nicht mehr so viele. Ich kannte die gesamte Aufklärungsarbeit, ich kannte die Abwehrarbeit, auch in den Bezirken.

Ich wurde dann Lehrer an unserer Hochschule in Potsdam-Eiche. Komisch war das schon, jemand, der gegen die Disziplin verstoßen hatte, wurde nun eingesetzt, um Studenten auszubilden. Man sucht da ja eigentlich immer Leute, die in ihrem Sinne recht vorbildlich waren.

Ich habe deshalb auch damals nicht den Schluß-strich gezogen, weil ich die Macht des Organs kannte, also ich war, auf deutsch gesagt, feige. Wäre ich damals konsequenter gewesen, wäre ich 1986 ausgetreten. Aber dann würde ich heute nicht in dieser Wohnung sitzen, dann hätte ich also Nachteile für meine Familie und insbesondere für meine Tochter hinnehmen müs-sen. Das wollte ich nicht!

Ja, wie verlief mein Leben? Ich bin in Berlin gebo-ren, Prenzlauer Berg. Meine Eltern waren bürgerliche Leute: meine Mutter Verkaufsstellenleiterin, mein Va-ter Warenhausdirektor, ein Pazifist durch und durch. Er besaß einen Ausmusterungsschein der Wehrmacht, und er hat niemandem gesagt, woher er den hatte. Ich bin so ein Nachkömmling. Meine Mutter war schon 41, als ich geboren wurde. Sie wurde dann krank und starb. Ich habe drei Jahre mit meinem Vater allein gelebt, der auch schwer herzkrank war. Deshalb war ich mehr oder weniger auf mich alleine gestellt, schon im Kindesalter. Alle Berliner Rettungsärzte kannten mich; ich wußte auch, wie ich mich verhalten mußte, wenn mein Vater einen Anfall kriegte, wen ich anrufen mußte und so weiter. Nachdem mein Vater 1963 verstorben war, bin ich in ein Heim gekommen, bin dabei auch mit Kin-dern aufgewachsen, die hiergelassen wurden von El-tern, die nach dem Westen abgehauen waren. Dort wurde uns natürlich mit Recht klar gemacht, was dieser Staat für uns Waisenkinder tut. Nach dem Abitur wollte ich Jurist werden. Ich hatte auch schon eine Zu-lassung zur Humboldt-Universität und habe mich drei Jahre zum Wachregiment verpflichtet, weil ich dachte, der Staat hat so viel für mich getan – ich empfand das als Geste, mich auf diese Art und Weise zu revanchie-ren. Mein Vorgesetzter beim Wachregiment hat mich dann mehrmals bestellt und mir klargemacht: „Warum willst du Jurist werden? Da hast du nur mit Ehescheidungen zu tun, das ist sowieso nicht so interessant. Wir hätten da was viel Besseres für dich." In der Partei war ich schon. Mein Lehrmeister, der mich für die Partei geworben hatte, sagte: „Ich bin auch mit vielem nicht einverstanden. Aber ich bin in der Partei, weil ich etwas verändern will." Ja, also, ich hab mich überzeugen lassen und kam so zur Staatssicherheit nach Halle, hab' dort meinen Wachdienst absolviert, hab' auch im Strafvollzug Wache gehalten und wurde dann ausgebildet als Mitarbeiter. Ich habe also auch selber Leute zu Gerichtsverhandlungen geführt. Und wie diese Leute dort auftraten! Ich hab' beispielsweise in Leipzig jemanden erlebt, der hatte zwei Polizisten erschossen und war stolz darauf. Das war für mich schockierend, das war für mich ein Feind. Ich konnte nicht begreifen, wie man einen anderen Menschen erschießen konnte, bloß weil der Polizist war oder weil der anders dachte als ich. Damals war mir klar, gegen solche Menschen muß man was unternehmen, wie auch gegen Leute, die bewußt vergessen haben, da oder dort ein Ventil zu öffnen oder die ein falsches Mischungsverhältnis ansetzten und dann stolz waren, wenn die Maschinen kaputt gingen. Gegen die wollte ich vorgehen.

Meine Ausbildung begann in der Kreisdienststelle, und ich machte zunächst mal ein Jahr lang Ermittlungsarbeit, überprüfte Leute, die zur Grenze gingen, Leute, die zur See fuhren. Man mußte viel ermitteln, und immer dachte ich, das dient einer guten Sache. So naiv war ich dabei. Uns wurde auch immer wieder klargemacht, daß der Gegner mit noch ganz anderen Methoden vorging. Damals machten wir ja noch Öffentlichkeitsarbeit, Ausstellungen und so. Es erschienen

144

auch die ersten Bücher, durch die man bestimmte Dinge verstehen konnte. Später wurde mir dann erklärt: „Du wirst also in der Abteilung XVIII der Abwehr arbeiten, die in der Industrie tätig ist, und dafür brauchen wir Ökonomen." Deshalb wurde ich beauftragt, Ökonomie zu studieren, was mir nicht besonders schwer fiel. Die meisten der Mitarbeiter, die auf den Kreisdienststellen tätig waren, hatten Ende der sechziger, Anfang der siebziger Jahre kein abgeschlossenes Studium. Ich wurde dort ein bißchen gehänselt, weil ich 's Abitur hatte, ich war der einzige. Also ich war kein richtiger Arbeiter für meine Kollegen. Nach dem Studium war ich allerdings nur noch kurz in meiner alten Abteilung tätig. Ich wurde von der Aufklärung übernommen, wovon ich erst gar nicht begeistert war. Wir hatten uns gerade in Halle eingerichtet, hatten eine Wohnung nach fünf Jahren Anmeldung bekommen, ein Kind war da. Also nach einem viertel Jahr, gerade am 31. Dezember, vormittags um 10.00 Uhr, wurde mir mitgeteilt: „Du wirst versetzt!" Die Silvesterfeier war natürlich hin. Meine Frau ist heute noch bestürzt über die Verfahrensweise. Für sie war es ein Schlüsselerlebnis. Aber sie hat akzeptiert, daß ich an der Arbeit hing.

Dann schließlich der neue Lebensabschnitt in Berlin bei der Aufklärung. Für mich war diese andere Welt nicht ganz so fremd wie vielleicht für andere, da ich in Berlin aufgewachsen bin, und den Westen kannte, na ja ... Ich hatte noch während der Kindheit mit meinem Vater viele Gespräche über Demokratie, so daß ich mich in die Welt des Westens hineinversetzen konnte. Mir fiel das relativ leicht. Auch die Schaufenster machten mir nicht so viel aus wie anderen, die kannte ich ja schon als Kind.

Dann war ich einige Jahre in Skandinavien. Da sieht

145

man natürlich auch die Schattenseiten. Und die haben wir ja immer gerne überbetont. Hinzu kommt, daß sich das Leben in einer Botschaft gar nicht so sehr vom Leben in der DDR unterscheidet. Für mich war eigentlich das schlimmste, daß die Arbeitsweise in der Vertretung nicht ganz offiziell war. Ich war ja dort nicht als Mann der Staatssicherheit, sondern als Vertreter der Akademie und des Ministeriums Wissenschaft und Technik und so, dafür waren wir ja ein Geheimdienst. Als Staatssicherheitsmann hatte mich nie jemand erkannt, im Gegenteil. Die Berichte, die über mich in der DDR ankamen, waren so, als müßte man noch auf mich aufpassen. Ich hatte da und dort Ideen, die nicht so ganz in den Streifen paßten. Das war mir eine prekäre Situation, weil ich mir sagte: „Na, worum geht's denn eigentlich? Geht's um die Innenpolitik in dieser Vertretung oder darum, daß wir uns was besorgen, was wir im Lande brauchen? Also Technik und technologische Verfahren." Und schlimm war: Jeder überwachte jeden. Na ja, wer die Materie kannte, der wußte natürlich ruck, zuck, wer für die Firma tätig war. Das hat mir ungefähr ein Jahr lang Kopfschmerzen bereitet. Danach hatte ich Ruhe, weil ich jeden ausgemacht hatte, der für die Firma tätig war, und mir mein Konzept zurechtlegte. Jedem, der mir irgend etwas erzählen wollte über andere, habe ich gesagt: „Also paß auf, wenn dir was nicht paßt, nächsten Montag ist Parteiversammlung, dann stehste auf, kritisierste und erledigt!"

Dann gab es noch ein Schlüsselerlebnis. Als ich dann mal zum Treff in der DDR war, kriegte ich einen Stapel Papier hingelegt und gesagt: „Hier, willst du mal lesen? Das sind die Berichte, die man über dich schreibt." Den Stapel hab ich wieder zurückgeschoben und gesagt: „Ich lese keine Schmierereien, merkt euch das." Seitdem war Ruhe. Ich verstand das alles nicht. Die DDR hatte so viele Probleme und dann diese Überbetonung der inneren Sicherheit. Sie wurde draußen noch deutlicher als hier.

Woher kommt nun dieser Haß auf die Staatssicherheit? Es war mir klar, daß einige Dinge, die ein Nachrichtendienst macht, falsche Vorstellungen in der Bevölkerung erzeugten und man deshalb nicht unbedingt beliebt war. Das ist in der ganzen Welt so, damit lebte man. Und Verstoß gegen Menschenrechte und so, diese Sachen habe ich für Räuberpistolen gehalten. Wissen Sie, wenn man in einer Kreisdienststelle arbeitet, bekommt man vor allem eine kriminalistische Ausbildung. Da haben wir mal kleine Fische gefangen, Fahnenabreißer oder so was. Der wurde auf den Stuhl gesetzt, und den haben wir irgendwie schon gekriegt mit kriminalistischen Mitteln. Nebenbei haben wir ja manchmal auch Straftäter gefaßt wegen Diebstahl. Wir arbeiteten Hand in Hand mit der Kripo in so einer Kleinstadt. Dort gab's überhaupt ein sehr kollegiales Verhältnis. Man kannte sich, man saß auch abends in der Gaststätte, hat ein Bier zusammen getrunken. Das war Anfang der siebziger Jahre noch ein akzeptables Verhältnis. Die Leute wußten, der ist bei der Staatssicherheit. Selbst in den Betrieben haben sie gesagt: „Na, bist du immer noch beim Geheimdienst?"

Eigentlich waren wir damals voller Optimismus. Wir wollten aus der DDR ein Land nach unserem Geschmack machen. Wir sagten, wie diese Welt jetzt lebt, so geht's nicht. Vielleicht ist der Sozialismus wirklich die Alternative, auch wenn er es nicht gleich packt, auch wenn wir uns öffnen müssen, in Sachen Umweltschutz etwa. Ich hab' da einiges versucht in Gang zu bringen, es ist mir auch eine ganze Menge gelungen, aber nicht, weil ich ein großer Umweltschutzfreund war. Ich schickte Leute nach Skandinavien. So denkt man als Nachrichtenmann. Informationen abschöpfen und dabei etwas Gutes für die DDR machen. Der Widerspruch entstand dadurch, daß wir manchmal zu Hause ermahnt wurden. Man sagte uns, was ihr dort macht, ist für die DDR gut, aber nicht unbedingt für die Staatssicherheit. Na ja, das war dann immer diese übertriebene Konspiration. Damit kann man alles abblocken, alles totmachen. Jede Idee.

Zur Frage der Korruption, da rühren Sie an einen wunden Punkt bei mir. In Skandinavien haben sich zum Beispiel bestimmte Leute auf Kosten der DDR bereichert. Teppiche, die für die Vertretung bestimmt waren, wurden billig weiterverkauft an ganz bestimmte Leute. Das habe ich spitz bekommen und dem MfS mitgeteilt. Da wurde mir gesagt, das seien Parteikreise, und da könnten wir nicht nachhaken. Gegen die Parteiführung gab's nichts. In der Parteiführung gab es eine Abteilung Sicherheit, und diese Abteilung war für alles verantwortlich, was innerhalb der Partei und im Politbüro passierte. Wir hatten kein Recht, dort hineinzuregieren. Über Politbüromitglieder gab es keine Berichte, das war eine Tabu-Zone. Schade, das alles. Die Idee ist kaputt, die Ideale sind hin. Ich denke, daß die kommunistische Idee vielleicht in 150 Jahren wieder zur Diskussion stehen kann. Wir steuern ja jetzt auf die Einheit zu, und der DDR-Bürger ist aus seiner provinziellen Identität herausgelöst. Die meisten Leute sind provinziell, viele glauben, die Sozialmaßnahmen der DDR, die Arbeitsproduktivität der Polen und das Leben und die Waren der Westdeutschen kommen zusammen. Das wird natürlich nichts. Und sie merken erst schrittweise, was auf sie zukommt. Dieses schrittweise Herantasten an westliche Lebensverhältnisse ist schwer.

Während meines Einsatzes in Skandinavien habe ich manchmal gesagt, dem DDR-Bürger ist eigentlich gar nicht bewußt, wie gut es ihm in manchen Dingen geht. Das weiß er heute noch nicht. Heute kann er das noch weniger wissen, weil er noch den Blendeffekt dazu hat. Er glaubt, nach der Währungsunion kann er am Ku-Damm einkaufen.

Wenn ich noch mal auf die Welt käme, es tut mir leid, das sagen zu müssen, nicht wieder als Deutscher. Wir sollten uns vielleicht mehr an anderen Völkern orientieren, welche Kultur sie haben, ich meine nicht welche Nationalkultur, sondern welche Kultur des Umgangs. Bei uns muß es immer einen Sieger in einem Gespräch geben. Also Freundschaften pflegen auch mit politischen Gegnern, wie Olof Palme das gesagt hat. Das zeugt für mich von einem hohen menschlichen Wert, und der scheint mir in beiden deutschen Staaten nur gering ausgeprägt zu sein. Jetzt wird alles ohnehin nur der SED angehängt, schon wegen der ganzen Korruption. Die Leute werden sich an das Zwanzig- und Dreißigfache der Korruption gewöhnen müssen. Wir haben in den letzten Jahren den Fehler gemacht, so habe ich das empfunden, daß wir alles zu sehr materialisiert haben, wenn man von Konsumgütern geredet hat, die dann nicht kamen. Als es uns schlechter ging, in den fünfziger Jahren, hatte ich manchmal den Eindruck, der Zusammenhalt zwischen den Leuten war besser. Jetzt hat zwar jeder seine Datsche, viele ein Auto und so, es wurde also zunehmend materialisiert, und nun sieht man drüben die vollen Schaufenster, die Preise, man fühlt sich betrogen, die hatten das, wir hatten das nicht. Der Sozialneid ist groß.

Auch deshalb glaube ich, daß es einen Nachrichtendienst weiterhin geben muß, egal, ob das von allen in der Bevölkerung gewollt wird oder nicht. Wenn die DDR bestehen bleibt, muß es einen Nachrichtendienst geben. Wir werden uns daran gewöhnen müssen, Menschen nach ihren Fähigkeiten einzuordnen und nicht nur danach, ob sie eine Großmutter im Westen haben – das waren unter anderem Einstellungsbedingungen bei uns. Ein Nachrichtenmann muß gut ausgebildet sein, er muß bestimmte Fähigkeiten haben. Und da ist nicht die Frage, ob Vati Oberst ist oder im Politbüro sitzt, was die Verwandten sind, sondern ob er die Fähigkeiten hat für diesen Job. Und leider hatten etwa 40 Prozent, soweit ich das bei den Studenten sah, nicht die Fähigkeiten. Man kriegte raus, daß Vati General war, Mutti das oder das. Das war eine falsche Kaderpolitik. Jetzt besteht doch zum ersten Mal die Chance, Leute, die sich tatsächlich interessieren, eine solche Arbeit machen zu lassen.

Natürlich müssen sie das Handwerk lernen, das ist klar. Aber es wurde ja in den letzten Jahren zu viel Politik und zu wenig Handwerk gemacht. Zwei Drittel dieses Zusatzstudiums waren politische Fächer, und ein Drittel war Praxis. Dadurch kam auch dieser schlechte Ruf zustande, weil die Mitarbeiter einfach nicht in der Lage waren, eine ordentliche Ermittlung zu führen.

Also Nachrichtendienst passé, wie geht's weiter mit mir? Ich traute mir diese oder jene Aufgabe im zivilen Bereich schon zu und hatte auch keine Angst, schließlich hab' ich nichts verbrochen, obwohl man sich ja eigentlich wie ein Verbrecher vorkommt, wenn man mal im MfS gearbeitet hat. Man wird auch so behandelt. Am 15. Januar 1990 habe ich gesagt: Schluß, egal, wie das da draußen weitergeht in dieser Einrichtung, jetzt bemühst du dich um andere Arbeit. Meine ganze Familie, meine Eltern, die Großeltern, alle waren in der Ökonomie tätig. Ich hatte Ökonomie studiert, und auch meine Tochter arbeitete im Handel. So ging ich einfach mal zum Handel, aber ich hatte nicht Lust, Fachverkäufer zu machen oder sowas. Ich dachte, mit den Abschlüssen, die ich habe, also Staat und Recht, Außenpolitik und Diplomjurist, dann zwei Sprachen und Facharbeiter, da muß doch irgendwas zu machen sein. Na, das sah erst nicht so gut aus, doch dann fand ich eine Stelle beim Binnenhandel. Ich weiß, wie ein Lebensmittelgeschäft aussehen müßte, und was man machen könnte. Ich verdiene jetzt etwa 800 Mark netto im Monat. Na ja, meine Wohnung ist eingerichtet. Wenn ich die halten kann, reicht mir das. Meine Frau arbeitet auch. Ich werde bescheidener leben.

Trotzdem bekomme ich manchmal Angstzustände. Klar, ich bin auch für Demokratie, aber ich glaube nicht, daß wir die jetzt hinkriegen. Daß wir tatsächlich den Andersdenkenden akzeptieren, weil man jetzt ja gegen die anderen Andersdenkenden vorgeht, also gegen PDS-Leute und uns. Und dabei hatten wir schon lange die Idee, etwas Neues zu machen, weil auch wir vieles als bedrückend empfanden. Wir wären bereit gewesen, entgegenzugehen. Aber diese Pogromstimmung! Nein! Ich habe sonst viele Sympathien gehabt für die Sachsen. Meine Frau stammt selber aus dem Erzgebirge. Da denke ich so an die fünfziger Jahre, da konnten sie nicht schnell genug als SED-Funktionäre Karriere machen, und heute bekommt man den Eindruck, daß sie ganz schnell ganz rechts wollen. Jedenfalls in einer Anarchie hätte mein Leben keinen Sinn mehr.

Ich bin für keinen Geheimdienst mehr zu haben.

151

Auch nicht mehr für einen demokratischen. Dieses Kapitel ist für mich abgeschlossen. Und ich glaube, eine ganze Reihe Ehemaliger denkt ebenso. Die Frage ist nur, wie man die Leute unterbringt. Und was wird aus den anderen Geheimdiensten, die ja nach wie vor existieren? Für mich wäre es auch nicht die Lösung, sagen wir mal, zum Bundesnachrichtendienst zu gehen, die hätten einige von uns ja eingestellt. Die Fronten zu wechseln, das halte ich nicht für legitim. Ich wäre schon froh darüber, wenn man uns allen die Möglichkeit gäbe und sagte, bitte schön, stellt mit eurer Arbeit unter Beweis, daß ihr auch etwas anderes könnt. Das wäre eine reale Chance. Wir waren keine Kampfgemeinschaft. Es bestand Konkurrenzdenken, und es bestand dieses alte römische Prinzip, keine Einigkeit zuzulassen. Dann war für den Leiter das Regieren am leichtesten, wenn einer dem anderen mißtraute. Es gab Leute, mit denen habe ich außer Guten Tag und Auf Wiedersehen kein Wort gewechselt.

Bei uns hat die Abrechnung mit dem Faschismus nicht stattgefunden, manches wurde sogar durch das nachfolgende diktatorische Regime befördert, vor allem manche Eigenschaften. Dazu gehörte, daß man andere Meinungen nicht zuließ. Ich hab' manchmal gedacht, das sind faschistoide Züge, die dieser und jener Genosse hat. Und die Gefahr ist drin, daß jetzt wieder nur irgend einem anderen zugejubelt wird. Ich selbst habe keine Illusionen mehr. Man muß mit bestimmten Dingen leben. Als ehemaliger Aufklärer hat man immer mit dem Risiko gelebt, im Ausland erkannt zu werden. Also kann man auch mit dem Existenzrisiko leben. Ich verdränge den Gedanken ein bißchen, weil ich im Moment ja einen Arbeitsvertrag habe. Gott sei Dank!

Wir waren
und wurden diszipliniert

Franz, 54 Jahre,
Zentrale Auswertungs- und Informationsgruppe

Ich frage mich heute nach dem Sinn meines Lebens, nach dem Sinn von 36 Jahren Arbeit für den Sozialismus. Obwohl, ich glaube nach wie vor noch an die Idee einer gerechten sozialen Gesellschaft, wenn auch nicht auf diese Art und Weise, wie wir es versucht haben und gescheitert sind.

Wir haben das Ministerium für Staatssicherheit verstanden als eine Einrichtung der Rechtspflege. Juristisch waren wir, im Gegensatz zur Erklärung des Herrn Krenz, ein Organ des Ministerrates und unterlagen den Bestimmungen, wie sie im Staatsapparat üblich sind. Die Kontrolle wurde allerdings vorrangig von der Partei ausgeübt. Unsere Tätigkeit erfolgte auf der Grundlage des Strafgesetzbuches und anderer gültiger Gesetze. Gesetzesverletzungen, die von unseren Mitarbeitern begangen wurden, wurden unnachsichtig geahndet. Auch Mitarbeiter des MfS wurden vor Gericht gestellt, verurteilt, und sie verbüßten Haftstrafen, wenn sie sich gegen das geltende Recht vergangen hatten, ob es sich beispielsweise um die Mißhandlung von Gefangenen handelte, um persönliche Bereicherung oder um das Erschleichen von Vorteilen.

Die volle Verantwortung für uns trug Egon Krenz, Sekretär für Sicherheit. Er war der Mann, der in den letzten Jahren für die inhaltliche Orientierung des Ministeriums zuständig war, über den praktisch die Anleitung und Ausrichtung des Apparates erfolgte. Nicht nur die inhaltliche Anleitung, sondern auch die gesamte Orientierung auf das Feindbild. Natürlich kann man da auch einer gegenseitigen Selbsttäuschung unterliegen. Wenn Egon Krenz auf der einen Seite Kritik am bestehenden System als feindlich ansah und nicht als Vorschlag zur Änderung, zur Beseitigung von Mißständen, dann wurden natürlich Strafrechtsnormen anders interpretiert. Aber ich habe den Eindruck, daß das Problem der Selbstkritik in der Parteiführung nicht nur in den letzten Jahren, sondern seit Mitte der fünfziger Jahre zusehends in den Hintergrund getreten ist. Ich kann mich in all den Jahren kaum jemals daran erinnern, daß jemand von der Parteispitze aus eigenem Antrieb eine Selbstkritik in der Öffentlichkeit abgegeben hat. Wenn, dann höchstens im internen Kreis und unter Druck. Die letzte offene Selbstkritik der Führung fand meines Wissens in Auswertung des 17. Juni 1953 statt.

Wie sich Krenz nach der Wende uns gegenüber verhalten hat, war schäbig. Aber das gab's früher schon. Schon in der Bibel spricht man vom Sündenbock. Man sucht Sündenböcke, um sich von der eigenen Schuld freizusprechen.

Tja, und unsere Hauptschuld ... Die Ursache liegt meiner Ansicht nach in unserer Ausrichtung auf die Durchsetzung der Beschlüsse von Partei und Regierung. Wir waren und wurden diszipliniert, wir disziplinierten uns selbst, wir erkannten viele Widersprüche und Probleme, glaubten aber, mit der Information an die Partei- und Staatsführung diese Probleme einer Lösung näher zu bringen. Es wurden auch teilweise Änderungen durchgesetzt. Aber die waren immer nur punktuell und niemals systemverändernd.

Unser Krebsschaden war doch, daß wir versuchten, mit polizeilichen Mitteln politische Probleme zu lösen, Probleme, die wir als Organ gar nicht lösen konnten. Ob es um die Verhinderung des ungesetzlichen Verlassens der DDR ging, um Probleme der Volkswirtschaft, Fragen von Kunst und Kultur und anderes mehr.

Sicher, wir verstießen zweifellos gegen die Menschenrechte, wie zum Beispiel das Recht auf freie Meinungsäußerung. Es geschah nicht selten, daß kritische Äußerungen nicht als Kritik aufgefaßt wurden, sondern als ein Versuch, die vorgegebene Linie im „antisozialistischen Sinn" zu verändern. Bezogen auf die Reisefreiheit, gingen die meisten unserer Genossen davon aus, daß die national gültigen Gesetze und Regelungen eingehalten werden müßten, die von der Volkskammer beschlossen worden und vom gesamten Staats-, Justiz- und Wirtschaftsapparat umzusetzen waren. Uns wurde zunehmend bewußt, wie miserabel die Lage im Land war, aber ein Putsch von uns? Nein! Der wäre, auch aus meiner heutigen Sicht, nie möglich gewesen. Wir haben ja das System – bei aller Kenntnis einer ganzen Reihe von Problemen, Fehlern und Schwächen – insgesamt als unseren Sozialismus angesehen. Nicht nur, daß wir unserem Staat in absoluter Loyalität verbunden waren, wir unterlagen auch der militärischen Disziplin. Ganz abgesehen davon, so ein Versuch, selbst wo er unternommen worden wäre, wäre auf das strengste geahndet worden, möglicherweise auf Grund des Militärstrafrechtes mit der Todesstrafe. Aber ich würde sagen, nicht die Todesstrafe schreckte ab, sondern die eigene Disziplinierung, das Gefühl, dem Staat zu dienen, den Staat zu schützen. Dabei kamen wir aber nicht selten mit Erscheinungen der Unfähigkeit in Berührung.

Und diesen gigantischen Apparat des Ministeriums mit seinen 85 000 Mitarbeitern sollte man eigentlich etwas anders sehen, als es heute üblich ist. Einmal gehörte dazu eine nicht geringe Anzahl von Angehörigen des Wachregiments, die herausfielen. Es gehörten dazu die Paßkontrolleinheiten, 4000 Mann Kaderabteilung (zur Selbstkontrolle), dazu ein riesiger Apparat des Personenschutzes. Es gehörte dazu ein riesiger Apparat von Verwaltung und Wirtschaft, die alle nicht operativ tätig waren. Es gehörte dazu, wie auch in anderen Einrichtungen des Staatsapparates, ein eigener medizinischer Dienst mit Poliklinik, mit Krankenhaus. Bei der Wismut und einigen anderen Institutionen gab es so was auch. Aber das alles fiel insgesamt unter die Rubrik Ministerium für Staatssicherheit, das waren alles „Mitarbeiter" des Ministeriums.

Insgesamt handelte es sich um einen riesigen bürokratischen Apparat, der große Summen des Volksvermögens verschlang, dessen „Effizienz" aber heute gewaltig überschätzt wird, da er sich zum großen Teil mit sich selbst beschäftigte. Operativ arbeitete eigentlich nur ein Bruchteil der Mitarbeiter. Dazu kam auch eine Reihe von patriotischen Kräften – ich scheue mich, das Wort „Spitzel" zu verwenden, denn die Mehrzahl der Leute, die mit dem Ministerium zusammengearbeitet haben, arbeitete aus der Überzeugung, dem Staat und dem Sozialismus zu dienen. Es gibt übrigens wohl kaum einen Staat, der nicht mit inoffiziellen Kräften arbeitet, um in die Konspiration echter oder vermeintlicher Gegner einzudringen. Auch in der BRD gibt es eine nicht geringe Anzahl von V-Leuten des Verfassungsschutzes, des Bundesnachrichtendienstes, des Militärischen Abschirmdienstes und noch weiterer westlicher Geheimdienste, auch der privaten Geheimdienste der Wirtschaft.

Alle reden heute über Privilegien. Meine Privilegien bestanden darin, besonders viel und besonders lange zu arbeiten, weit über das Maß der normalen Arbeitszeit hinaus. 12 Stunden, 14 Stunden täglich. Die Privilegien bestanden darin, alle Westkontakte abzubrechen. Sie führten zu Konflikten innerhalb der Familie mit Ehepartnern und Kindern auf Grund der strengen Reglementierung. Meine Mutter, eine Widerstandskämpferin und alte Kommunistin, verschwieg zum Beispiel mir gegenüber monatelang, daß sie einen Brief von ihrer Schwester bekommen hatte, die sie nach 38 Jahren noch einmal besuchen wollte.

Die Privilegien bestanden darin, sich abzustimmen, wenn man sich außer Haus begab, unabhängig davon, ob eine besondere Lage war oder normale Zeiten waren, daß zu melden war, wo man erreichbar sei, wenn man länger als zwei oder drei Stunden wegging.

Die Privilegien bestanden in einer Vielzahl von Nachtschichten, die wie alle anderen Überstunden niemals bezahlt worden sind, und zahllosen Bereitschaftsdiensten. Das heißt, Dinge, die sich bei einem Arbeiter in der Wirtschaft ökonomisch niederschlugen, wurden bei uns durch das Bewußtsein „wettgemacht".

Als 1989 allen DDR-Bürgern wieder erlaubt wurde, nach Polen und Ungarn zu fahren, blieb das Verbot für uns bestehen. Ganz zu schweigen davon, daß uns auch neue private Kontakte in Richtung sozialistische Staaten untersagt waren.

Privilegien im eigentlichen Sinne? Ich habe weder ein neues Auto irgendwo herbekommen, noch habe ich je in einem Sonderladen einkaufen können. Unsere Kaufhalle hatte den volkstümlichen Beinamen „Juice

Shop", nämlich „Saftladen", weil es da weit weniger gab als in der normalen Kaufhalle. Das einzige, was ausreichend da war, aber nicht getrunken werden durfte, war Alkohol in den verschiedensten Sorten. Wenn bei der Besetzung des Gebäudes andere Waren gefunden wurden, dann nur in Lagern, die für die Führungsspitze eingerichtet waren, nicht aber für den normalen Mitarbeiter.

Ich hatte den Dienstgrad eines Oberstleutnants. Privilegien begannen auf einer sehr hohen Ebene, ich würde sagen, auf der Ebene von einzelnen Abteilungsleitern, bei weitem nicht allen Abteilungsleitern, von Hauptabteilungsleitern, Chefs von Bezirksverwaltungen, von Obersten und Generälen, die in Sonderläden analog zu Wandlitz einkaufen durften. Der normale Mitarbeiter kannte die Läden gar nicht. Und ich weiß bis heute noch nicht, wo die Läden waren, trotz meiner fast 37 Dienstjahre.

Ich hatte schon seit längerer Zeit meine Zweifel. Gewisse Fragen, Skrupel und Gewissensbisse setzten schon Jahre vorher ein und wurden immer deutlicher, eigentlich bis zum Oktober des Jahres. Sie hätten aber nie dazu geführt, die Frage entweder – oder zu stellen. Trotz dieser Skrupel dominierte das Gefühl, für den Sozialismus zu arbeiten und diese Erscheinungen als vorübergehend, als nicht charakteristisch abzutun und Zweifel zu verdrängen.

Dieser Ernüchterungsprozeß, der mit dem Oktober einsetzte und jeden Tag neue, schlimme Nachrichten brachte, neue Enthüllungen, teils vielleicht auch aufgebauscht, die nun die Führungsspitze als jämmerliche, senile Menschen zeigten, die vor allem für ihr eigenes Wohl gesorgt hatten, die unfähig waren, diese vielen Signale, die ihnen zugegangen waren, überhaupt zu begreifen, geschweige denn zu verkraften, war tragisch. Aber ich möchte eins sagen: Einige Generäle, die bei uns waren, waren durchaus kluge Leute, sie dienten diesem System aus innerer Überzeugung und waren menschlich integer. Vielleicht haben sie besser durchgesehen, aber insgesamt haben sie sich eingeordnet, sich unterworfen, aus welchen Motiven auch immer.

Der einzige, der sich nicht untergeordnet hat, war Markus Wolf, den man uns nach seinem Ausscheiden aus dem Organ als Kranken präsentiert hat. Aus seinem Wohngebiet erfuhr ich, daß er munter und sehr gesund gewesen war. Also auch hier ein Widerspruch zwischen dem, was man uns erklärte, und dem, was Wirklichkeit war.

Im Oktober 89 wurden die Fragen unserer Genossen immer bohrender und dringlicher. Unsere Kreisleitung gab ihnen keine Antwort. Eine Vielzahl gewählter Parteifunktionäre tauchte einfach nicht in den Kreisen der Genossen auf, weil sie nicht den Mut zur eigenen Meinung hatten oder weil sie die Welt nicht mehr verstanden.

Aber den Vergleich zur Sowjetunion können Sie so nicht ziehen. Andropow war nicht Mielke. Man kann nur immer wieder sagen, ein über 80jähriger Mann, auch vielleicht die Jahre vorher ein 75jähriger Mann, ist nicht mehr in der Lage, die Vielzahl der Probleme zu erfassen. Das ganze System funktionierte nicht mehr. Der Apparat lief, aber es blieben ja praktisch Korrekturen unrichtiger Entscheidungen aus. Und der Apparat wuchs und wuchs wie ein Krebsgeschwür.

In den fünfziger Jahren bestand das Ministerium aus einem winzigen Areal, aus einem relativ alten, quadratischen Gebäude, zum Schluß war es vielleicht das Zwanzig- oder Dreißigfache, allein von der räumlichen

Ausdehnung. Die Unsummen, die dorthinein verbaut wurden! Die Unsummen auch, die verschwendet wurden, um Informationen aufzunehmen, um Nichtigkeiten datenmäßig zu erfassen, die überhaupt keinen Sinn hatten! Dieses Gerede von diesem Überwachungsstaat, der flächendeckend gewesen sei, na ja, was soll man da sagen. Ich habe da keine klaren Vorstellungen. Ich kannte den Begriff gar nicht. Vielleicht ist das auch eine Neuschöpfung, die zusammenhängt mit der Einführung der Datenverarbeitung im Ministerium, bei der eine Vielzahl von Informationen verschiedenster Art festgehalten wurden.

Aber diese flächendeckende Erfassung war doch nicht ausschließlich gegen Andersdenkende gerichtet!

Wie ich die definiere? Andersdenkende sind Leute, die eine andere Weltanschauung haben. Andersdenkende sind zum Beispiel Leute, die, philosophisch hätte man gesagt, idealistische und keine materialistischen Positionen vertreten. Ich würde es vielleicht anders sagen: Andersdenkende sind für mich religiös orientierte Menschen, Menschen mit einer anderen Vorstellung vom Sozialismus und so weiter. Na, lassen wir mal die Definition weg, denn kein Mensch denkt völlig gleich wie ein anderer.

Selbstverständlich habe ich auch durch mein restliches normales Leben in der kümmerlichen Freizeit, die ich hatte, oder im Urlaub, aber auch durch langjährige Freundschaften Kontakt gehabt zu Menschen, die anders dachten. Zu Menschen, die sehr kritisch zu uns standen oder die eine tiefe religiöse Bindung hatten. Diese Menschen hatten vom Sozialismus eine andere Vorstellung. Sie wußten, wo ich arbeitete, aber sie wußten nicht, was ich konkret machte. Also, meine Arbeit war eigentlich nie ein Hindernis gewesen, ein gutes persönliches Verhältnis gegenseitiger Toleranz und menschlicher Achtung zu diesen Andersdenkenden herzustellen. Nicht aus eigensüchtigen Gründen, sondern einfach, weil es mir ein Bedürfnis war, auch nicht losgelöst von der Wirklichkeit zu leben. Es war für mich wichtig, im Dialog Gedanken auszutauschen, geistige Anregungen zu erhalten, Streitgespräche zu führen, die es bei einem Teil unserer Genossen nicht mehr gab, für die das Bier im Kühlschrank und die Datsche wichtiger waren.

Und gerade die andersdenkenden guten Freunde, die wir seit Jahren hatten, vielleicht auch seit Jahrzehnten, die andere Auffassungen vertraten, wo wir nicht versucht hatten, uns gegenseitig zu agitieren und zu überzeugen, wo wir gegenseitig kein Blatt vor den Mund genommen haben, waren es auch, die uns moralisch über die schweren Zeiten der tiefen inneren Krise hinweggeholfen haben. Über die schwere Zeit der allgemeinen Verachtung, in der man als Paria dastand und angespuckt wurde. Sie hatten die Achtung vor dem Menschen, der auch als Mitarbeiter der Staatssicherheit eben *seine* Meinung vertrat und ihnen zugehört hatte.

Ich muß mir vorwerfen, meine Arbeit korrekt gemacht zu haben, nach bestem Wissen und mit all meiner Kraft. Ich habe in all den Jahren keinerlei Gesetzesverstöße begangen. Ich habe versucht, die mir auferlegten Pflichten gewissenhaft, treu, zuverlässig und ehrlich zu erfüllen. Auf der anderen Seite fühle ich mich natürlich, gerade weil ich dieses System mit getragen habe, mit perfektioniert habe, moralisch mitschuldig, in einem Ausmaß, wie es mir ein Außenstehender gar nicht nachfühlen kann. Diese Mitschuld kann ich aber nicht vor mir hertragen wie eine Fahne, als ständiges

Lippenbekenntnis. Sie bewegt mich innerlich, und ich bin noch lange nicht damit fertig. Das war eigentlich auch der Grund, weshalb ich so ein Gespräch jetzt und heute noch nicht führen wollte. Ich brauche einige Jahre, um damit fertig zu werden. Dazu trägt auch meine gegenwärtige Arbeit mit geistig behinderten Menschen bei, eine für mich neue und körperlich sehr schwere Arbeit. Immerhin bin ich Mitte Fünfzig. Ich sehe es als eine Art mir selbst auferlegter Buße an. Für die Arbeit, die ich jetzt durchführe, habe ich keine Qualifikationen und Abschlüsse. Ich habe sie mir selbst gesucht, und ich bin gewillt, mein Bestes zu geben und neu anzufangen, obwohl ich die Möglichkeit hatte, auf Grund von Spezialkenntnissen erneut im Staatsapparat zu arbeiten.

Wie es politisch weitergehen soll, ach, na ja, so richtig weiß das ja niemand. Ich bin bedrückt über die sich abzeichnende Rechtsentwicklung in unserem Land, eine Entwicklung, die vorhersehbar war.

Auch bin ich sehr bedrückt über diese unkritische Übernahme von Losungen, von Forderungen des Westens, sogar rechter Kreise des Westens, durch große Teile der DDR-Bürger. Und ich war ursprünglich nicht der Meinung von Konrad Weiß, daß unser System diese Entwicklung mit hervorgebracht hat bei uns, aber ich glaube, die Erziehung zum Ja-Sagen, die Erziehung zum unkritischen Übernehmen, zum Nichtdenken, zum Duckmäuser – diese Erziehung hat in der DDR nicht unwesentlich dazu beigetragen, daß man Losungen und Schlagwörter, die man früher bei uns nachplapperte, heute eben einfach austauscht und diesen rechten Rattenfängern nachläuft.

Das „frühsozialistische Experiment" ist in der DDR und den anderen Staaten in seiner bürokratisch-administrativen und zentralistischen Form gescheitert. Es war nicht lebensfähig, weil es nicht in der Lage war, als System zu wirken. Die Kennzeichen eines Systems sind ja gerade, daß es Informationen aufnimmt und sich, diese verarbeitend, weiterentwickelt. Und unser System war nicht in der Lage, die Informationen der verschiedensten Art, auch über die innere Entwicklung, so aufzunehmen, daß es sich als lebensfähig erwies, vor allem in der Wirtschaft. Das Machtmonopol auf politischem Gebiet hatte gleiche Stagnationsfolgen.

Es sprechen heute viele Leute von Stalinismus. Ich weiß nicht, was das ist, obwohl ich mich sehr viel damit beschäftige, um das Geschehene zu begreifen. Ich finde die Bezeichnung „administrativ-bürokratisches System" richtiger. Ich finde es richtiger als „Stalinismus". Das ist heute ein Schlagwort, mit dem man sehr viel abstempelt, was eigentlich gute und wertvolle Ergebnisse, gleichzeitig unsere 40 Jahre Entwicklung und staatliche Tätigkeit waren: ob es sich um Fragen der sozialen Sicherheit oder um erste Ansätze handelt, die Frauen ökonomisch unabhängig zu machen durch eine Vielzahl von Maßnahmen. Mit „Stalinismus" wird heute oft jede Diskussion erschlagen, man braucht nicht mehr zu argumentieren.

Und weil plötzlich alles schlecht war, ist der Nährboden für rechte Auswüchse um so größer. Die Republikaner sind schon da, in einem schwer vorstellbaren Ausmaß, wobei ich mich nicht allein auf die Republikaner beziehe, sondern auch auf die DSU und andere Kräfte. Die neofaschistischen Kräfte in der BRD haben 45 Jahre Zeit gehabt, sich zu formieren, zu organisieren, ihre Strukturen offen, aber noch viel mehr konspirativ aufzubauen. Auf Grund des Meinungspluralismus ist dort die Gefahr, daß diese extremen Rechtskreise

163

überhand gewinnen, geringer, zumal die CDU/CSU eine Politik macht, die diesen extremen Rechtskreisen doch das Wasser abgräbt, weil sie im Prinzip ähnlich ist. Aber gerade diese rechtsextremen Kräfte, die sich dort organisiert haben, stoßen in dieses Vakuum DDR, und ein durchschnittlicher DDR-Bürger, der wenig Erfahrung hat mit politischer Auseinandersetzung, mit anderen Parteien, mit anderen Spielregeln, mit anderen Auffassungen, läuft ganz stark Gefahr, diesen Auffassungen zum Opfer zu fallen.

Klar wird sich die SPD in der DDR sichere Positionen schaffen. Aber auch hier bleiben die 40 Jahre DDR nicht ohne Spur, denn viele Leute werden sich für die SPD entscheiden, da sie doch ein klein wenig sozial und sozialistisch ist, wenn auch nicht so böse wie die SED früher.

Auf der anderen Seite polarisieren sich die Kräfte, und die Rechtsentwicklung geht in einem Ausmaß weiter, das erschreckend ist. Ich war vor einigen Tagen im Süden der DDR. Dort ist dies besonders kraß, verglichen mit Berlin oder mit den Nordbezirken. Stellen wir uns vor, wenn ein Anschluß der DDR nach Artikel 23 des Grundgesetzes käme, schlagartig würde Bundesrecht bei uns gültig werden. Wir würden in starke soziale Verelendung geraten. Es käme zu Spannungen, Konflikten, vergleichbar mit der Situation gegen Ende der Weimarer Republik, und auch hier stoßen scheinbar klare, kurze, griffige nationalistische Losungen – verbunden mit dem Wunsch, den Wohlstand der Bundesbürger zu übernehmen – schnell auf willige Ohren. Hier sehe ich soziale Konflikte heraufkommen.

Mit einer Vereinnahmung der DDR wird automatisch die Frage nach den früheren Grenzen Deutschlands aufgeworfen, den Grenzen Deutschlands von

1937 zunächst. Ein Deutschland von etwa 80 Millionen Menschen, mit dem vereinigten Industriepotential der BRD und der DDR, wird eine neue Großmacht darstellen, politisch und ökonomisch. Und das Gefühl junger Menschen, daß sie keinen Anteil an den Verbrechen des Faschismus haben, daß man Deutschland „zu Unrecht" behandelt hat, daß Deutschland ja in seinen „historisch gewachsenen Grenzen" wieder erstehen müßte, würde erneut mißbraucht werden. Ich sehe also ganz klar die Gefahren bei einer Vereinigung, die nicht von paritätischen Gesichtspunkten ausgeht, sondern von einer Vereinnahmung der DDR.

Ich sehe einen neuen deutschen Nationalismus heraufkommen, den man unbedingt stoppen muß, weil dieser neue Deutschland-Nationalismus nicht im Osten haltmachen wird und auch nicht im Süden haltmachen wird. Schon heute stellen rechtsextreme Vordenker, unterstützt von Völkerrechtlern, Forderungen, die deutsche Minderheiten in Belgien, Frankreich, Dänemark und Italien einbeziehen; Österreich ist bei neofaschistischen Kräften gleichermaßen Bestandteil des deutschen Reiches, abgesehen von der bereits heute vorhandenen Abhängigkeit der österreichischen Wirtschaft von den BRD-Monopolen. Hier sehe ich ernste potentielle Gefahren für den europäischen Einigungsprozeß. Ja, so schwarz sehe ich.

Nein, ich wollte nicht vom Thema ablenken. Kommen wir wieder zurück zum ehemaligen MfS.

Eine Schuld ist immer personengebunden. Eine Schuld kann nie kollektiv sein, auch die rechtsextremen Kräfte wenden sich entschieden gegen die von uns gar nicht aufgestellte These von der Kollektivschuld des deutschen Volkes am zweiten Weltkrieg. Also sollte man sorgfältig prüfen, in welchem Maße der einzelne ehemalige MfS-Mitarbeiter Schuld auf sich geladen hat in der Vergangenheit, persönliche Schuld. Dort, wo er sich juristisch strafbar gemacht hat, muß ihn die volle Härte des Gesetzes treffen. Dort, wo er sich moralisch strafbar gemacht hat, sollte man das auch ihm gegenüber deutlich machen, daß er lernt zu begreifen, was geschehen ist, und nicht in Selbstmitleid versinkt.

Ansonsten sollte man aber versuchen, gleichzeitig zu beurteilen, wie weit er aus der Geschichte gelernt hat, welche Konsequenzen er aus der gesamten Entwicklung zieht. Mich schmerzt die jetzige Entwicklung zutiefst, und ich fühle mich eigentlich stark verbunden mit den Kräften, die früher kritisch zur DDR-Führung standen und die DDR bejahten. Auf der anderen Seite verstehe ich nicht, weshalb gerade diese Kräfte ein Zusammengehen mit der PDS ablehnen, weil doch beide angetreten sind – sowohl die PDS als auch das Bündnis 90 – zur Verteidigung dessen, was in der DDR erhaltenswert ist. Gleiches gilt für die vielen anderen Linkskräfte.

Ein Wort noch zur Verantwortung gegenüber meinen einstigen Kollegen. Die Ausgrenzung ehemaliger Mitarbeiter des Ministeriums bringt nach meiner Meinung verschiedene Gefahren mit sich. An diesen Mitarbeitern hängen Familien, Frauen, Kinder. Die Gefahr einer Verelendung, wenn man keine Arbeit findet, ist hoch. Die Gefahr, zum Sozialhilfeempfänger im arbeitsfähigen Alter abzusinken, ist ebenfalls hoch. Für die Leute, die jünger sind, ist es leichter. Sie können irgendwo etwas finden und werden schneller wieder eingegliedert, obwohl es auch sehr schwer wird. Mir hat ein Bekannter erzählt, sein Sohn, ehemaliger Mitarbeiter, Mitte 20, hat bis jetzt 26 Arbeitsstellen vergeblich angelaufen und wurde abgelehnt, obwohl er technischer Anlagenfahrer in der Industrie war und als Facharbeiter gebraucht wird. Ja, die Gefahr der sozialen Abstiege ist das eine. Zum anderen würde eine solche totale Ausgrenzung auch Gefahren mit sich bringen, daß man diese Leute in eine kriminelle Ecke drängt. Denn nicht wenige Interna sind auch in den Köpfen dieser Leute gespeichert. Und wenn es um die weitere Existenz geht, kann es durchaus sein, daß der Einzelne versucht, solche Interna zu seinem persönlichen Vorteil zu verwerten. Oder daß er sich mit anderen, die er als absolut zuverlässig kennt, versucht zu verbinden und sich möglicherweise Strukturen auf krimineller Ebene bilden, eben weil sie niemand haben will.

Das kann ich mit gutem Gewissen sagen: Ich habe keine Rachegefühle. Im Gegenteil. Ich bin nur sehr stark enttäuscht darüber, viele Jahre meines Lebens für eine Sache gegeben zu haben, deren Verwirklichung mit derartig vielen Fehlern und Mängeln behaftet war; Fehler und Mängel, die man sah und die trotzdem nur unzureichend beseitigt werden konnten. Denn die Sache, für die wir eingetreten sind, für ein gerechtes Leben der Menschen, für eine soziale Gerechtigkeit, sehe ich auch heute noch als sehr dringlich an und vielleicht nach der Vereinigung mit der Bundesrepublik als noch viel dringlicher als bisher. Bis jetzt war die DDR ein Staat der kleinen Leute gewesen. Jetzt kommt zu uns aber das große Geld, es werden sehr reiche Leute in der DDR leben, und es wird auch sehr viele Arme geben. Arbeitslose, Obdachlose, die ganzen Licht- und Schattenseiten einer kapitalistischen Gesellschaftsordnung werden sich, wenn wir uns ausschließlich auf das Modell der BRD orientieren, bei uns voll niederschlagen.

Früher hätte ich das nicht für möglich gehalten. Aber ich glaube, in diesem Irrtum waren wohl noch wesentlich mehr befangen, nicht nur innerhalb unseres ehemaligen Apparates, sondern die Mehrzahl der vielen DDR-Bürger, die diesen Staat in den letzten 40 Jahren mit aufgebaut haben und gestaltet haben und die fürchten, daß ihre Arbeitsergebnisse faktisch zunichte gemacht werden. Ich möchte noch dazusetzen, ich bin noch Mitglied der PDS, einer Partei, die ich als eine völlig neue ansehe, denn es gibt meines Wissens keine andere Partei, die derartig in ihren Grundfesten erschüttert worden ist und die Strukturen derartig kraß verändert hat. Ich fühle mich als Linker, und ich fühle mich allen Menschen verbunden, die kritischen Verstand haben und Sinn für Realität.

Wir haben uns
selber kaputtgewirtschaftet

Michael, 36 Jahre,
Hauptabteilung III

Mir geht es sicherlich wie vielen. Das Gefühl, belogen
und betrogen worden zu sein, sitzt sehr tief und wider-
spricht auch irgendwo meinem eigenen Willen, noch
zurechtzukommen. Ich war immer geneigt, in die Fuß-
stapfen meiner väterlichen Generation zu treten. Mein
Großvater, ein alter Kommunist, saß unter Hitler im
Gefängnis. Nach seinem Tode habe ich mir seine Haft-
befehle angesehen und war stolz auf ihn, auf seine Un-
beugsamkeit. Das alles zählt heute nicht mehr.

Vom kommunistischen Weltbild sind im Moment
nur ganz rationale Dinge übriggeblieben. Ich bin nach
wie vor davon überzeugt, daß die kommunistische Idee,
die sozialistische Idee, die richtige ist, aber daß sie eben
durch uns alle, nicht nur durch eine Führung allein,
falsch angepackt wurde. Vor wenigen Tagen hatte ich
mich mit meiner Frau darüber unterhalten, warum es
so einen Unterschied gibt im qualitativen Denken und
Auftreten von kirchlichen Personen und Personen unserer Partei, und wir kamen auf den Nenner, daß die
Theologen auch den Marxismus studiert haben, aber
aus einer kritischen Position heraus und die Lehre stets
in Zweifel ziehend. Wir aber haben den Marxismus immer von der Position aus studiert, daß er richtig ist. Wir
wurden zur Blauäugigkeit erzogen.

Zum Zeitpunkt meines Entschlusses, zur Staatssicherheit zu gehen, war ich ein unreifer Mensch. Ich

habe charakterliche Schwächen gehabt und habe sie sicherlich noch heute, so Dinge, die ich irgendwo von der Mutter übernommen habe, das Sich-um-alles-Kümmern, das Bemutteln, das stößt bei anderen auf Widerstand. Das habe ich erst sehr spät begriffen. Insofern war also das Umfeld, das mich zu diesem Entschluß geführt hat, weder im Freundeskreis zu suchen noch im schulischen Bereich, sondern ausschließlich in der väterlichen Tradition. Der Großvater war nach dem Krieg als Kraftfahrer beim MfS tätig. Auch der Vater arbeitete dort in einer ganz einfachen Tätigkeit, und irgendwie war es ein Reizwort für mich. Wie dieser Entschluß zustande kam, ist also nicht inhaltlich zu erklären. Es war immer der Blick zum Vater. Vielleicht war auch irgendwie der Wunsch, was Besonderes zu sein, sich abzuheben von der Masse. Vom Inhalt dieser Tätigkeit war mir zum damaligen Zeitpunkt im Grunde nichts anderes bekannt als das, was in offizieller Literatur zu lesen war. Ich hatte keinen kritischen Verstand in dieser Richtung.

Außerdem reizte mich natürlich die relativ gute Bezahlung gegenüber anderen. Wenn ich an meine Kommilitonen denke, glaube ich nicht, daß es ihnen möglich war, in kurzer Zeit genausoviel Geld oder mehr zu verdienen. Wer wollte nicht sozial sichergestellt sein? Allerdings, wenn man's nüchtern betrachtet, war es doch kein Privileg, denn die Arbeitszeit, die ans Bein gebunden werden mußte, ging erheblich über das normale Maß hinaus.

Ein Nachteil war: Das Dienstverhältnis schränkte natürlich auch ein, weil man sich nicht offenbaren konnte. Denn es hieß ja in erster Linie, du kannst über deine Arbeit sowieso nicht reden, alles, was deine Arbeit betrifft, ist geheim. Und es will erst mal gelernt sein, über die Arbeit zu reden und doch mit ruhigem Gewissen sagen zu können, ich habe kein konkretes Dienstgeheimnis preisgegeben. Da waren im Grunde schon die Gesprächsthemen eingegrenzt.

Was sich auch nicht ohne weiteres beiseite schieben läßt, war das Abgrenzen von Bekannten, Freunden, Nachbarn, denen man nicht sagen konnte, wo man arbeitete. Also der Zwang zur Legendierung war auch eine Art Beschränkung. Was nützte mir denn ein MdI-Stempel im Versicherungsausweis? Er nützte mir doch gar nichts. Wenn mich einer fragte, wo arbeitest du denn?, fing doch das Dilemma schon an. Kennst du den und den? Offizielle Leute, die man kennen müßte. Also, man mußte sich dann immer selbst was zurechtbasteln, etwas, das den anderen dazu brachte, aus Anstand nicht näher nachzufragen. Auch ein Grund, warum unser Freundeskreis stark begrenzt war. Meine Frau und ich haben von vornherein Übereinstimmung gehabt, daß wir uns nicht leichtfertig einen Freundeskreis schaffen, sondern wirklich überlegt haben, lohnt sich diese Beziehung? Lohnt sie sich für den Gedankenaustausch? Können das die besten Freunde sein? Aber eine Distanz blieb, ein bißchen Mißtrauen war immer dabei. Mißtrauen ist etwas, was sich nicht unbedingt positiv auf die Persönlichkeitsentwicklung auswirkt. Dazu ist man ja auch erzogen worden, in allem irgendwo immer Gefahren zu sehen.

Als Kind mußte ich verschweigen, daß wir eine Verwandte in der BRD hatten. Sie ist inzwischen verstorben. Es war allen in der Familie bekannt, man sah sie auch mal Weihnachten oder so, aber in der Öffentlichkeit durfte nicht darüber gesprochen werden. Man hat also schon im Kindesalter gelernt, die Unwahrheit sagen zu müssen.

Die Arbeit meines Vaters war für mich etwas Geheimnisvolles, nicht Durchschaubares. Ein Schlüsselerlebnis aus meiner Kindheit zum Beispiel ist folgendes: Früher gab es ja diese Kontrollpunkte rund um Berlin herum, und wir hatten als Familie nie einen eigenen Wagen, erst viel später. Ein- oder zweimal im Jahr wurde es dem Vater erlaubt, den Dienstwagen für eine Familienfahrt zu nutzen, und immer, wenn wir an so einen Kontrollpunkt kamen, zeigte der Vater seinen Dienstausweis. Alles salutierte, und wir konnten passieren. Vielleicht war das so ein Pünktchen auf dem i.

Hochgestellte Personen hatten mehr Privilegien. Da gab's so'n Ulk-Satz: OmP und OoP – Oberst mit Privilegien und Oberst ohne Privilegien. Also hochgestellte Personen mit einem entsprechenden Dienstgrad und einer dazugehörigen Dienststellung, beides war ja immer miteinander verknüpft. Man konnte nur diesen Dienstgrad erreichen, wenn man die entsprechende Dienststellung hatte.

In diesen Regionen gab es für einige Mitarbeiter schon recht annehmbare Privilegien – im Bereich der Versorgung, des Wohnungswesens, zum Beispiel Häuser, im Bereich der Hobbygestaltung, im Jagdwesen, oder Dienstwagen verschiedener Sorten. Und alle, die in dem Kreise der Nutznießer waren, hielten letztlich auch zusammen. Da fiel durchaus manchmal der Satz: Mensch, das sind doch Verbrecher. Das sind Verbrecher. Aber man möge sich mal vorstellen, es wäre einer von den kleineren Mitarbeitern aufgestanden und hätte Anzeige gegen seinen General erstattet. Was wäre denn dann mit dem Mann passiert? Für den wäre die Laufbahn beendet, hundertprozentig. Ich würde sagen, es wäre wenigstens eine Entlassung rausgekommen.

Ich war mir schon seit langem nicht mehr sicher, ob

die Sache, der ich diene, richtig ist. Denn was so pathetisch immer wieder als real existierender Sozialismus beschrieben wurde, ist 'ne Sache, die von denen, die sie so beschrieben haben, aus einer anderen Sicht gesehen wurde als von denen, die ihn zu erleben hatten. In vielen kleinen Dingen waren schon Zweifel bei mir vorhanden.

Natürlich haben wir auch Informationen zusammengetragen, die Mißstände aufdecken sollten im Lande. Aber jeder, der Informationen erarbeitet hatte, wußte doch – und jeder Außenstehende kann sich das an allen zehn Fingern abzählen –, daß diese Informationen, Ausgangsinformationen, noch lange keine Finalinformationen waren, daß dazwischen noch einige Riegel waren, die genau dosierten und filterten. Ich habe in meinem Leben noch nie einen Bericht in der Finalfassung gesehen, wie sie immer wieder den höchsten Offizieren vorgelegt wurden. Für meine Begriffe waren alle Oberen viel zu sehr damit beschäftigt, in ihrem Sessel zu bleiben. Deshalb konnte von uns auch kein Anstoß zur Wende kommen.

Über die flächendeckende Überwachung denke ich schon seit langem nach. Das läßt sich nicht mit wenigen Sätzen sagen, das bedarf aus heutiger Sicht einer tiefgründigen Analyse. Im Moment neigen wir alle dazu, Menschenrechte mehr oder weniger nur aus moralischen Positionen zu bewerten. Das ist nicht machbar. Was die Überwachung so unmoralisch erscheinen läßt oder sie unmoralisch macht, ist die Tatsache, daß sie benutzt wurde, um jegliches Andersdenken zu unterdrücken. Es sind juristisch völlig unhaltbare Zustände vonstatten gegangen, wo Recht und Menschenrecht und Politik nicht mehr in Einklang zu bringen waren, willkürlich verzerrt wurden. Und wenn man ein ganzes

Volk im Denken disziplinieren will, und das über Jahrzehnte, wie jetzt ersichtlich wird, ist das nicht mehr zu rechtfertigen.

Und wie ich als Jurist dazu stehe, daß jemand wegen Republikflucht ins Gefängnis mußte, na ja, in dieser Richtung habe ich technokratisch gedacht, wie viele Juristen. Es war geltendes Recht. Es unterlag einer strafprozessualen Untersuchung und einer strafrechtlichen Würdigung. Im Vordergrund stand die Frage, welche objektiven und subjektiven Tatbestandsmerkmale erfüllt waren. Vorrangig ging's doch darum, daß es für jeden Staat das souveräne Recht ist, festzulegen, wer wie wann seine Grenze passiert. Wurde das mißachtet, folgte eine entsprechende juristische Sanktion. Über die subjektive Seite, die menschliche Dimension, haben wir in den zurückliegenden Jahren bestimmt nicht gründlich genug nachgedacht. Welche menschliche Tragödie sich dahinter verbarg, war meines Erachtens nicht von Interesse für die Untersuchungsorgane. Deshalb, glaube ich, wurde hier kaltherzig Recht gesprochen.

Besonders brisant wurde dieses Problem für mich, als die große Ausreisewelle in Gang kam im Juni vergangenen Jahres und ich mitkriegte, daß in Führungsetagen keine Konzeption vorlag. Spätestens zu diesem Zeitpunkt waren neue Denkansätze bei mir vorhanden. Allerdings ohne etwas bewegen zu können. Hier ist jedes persönliche Engagement im Sande verlaufen.

Damals, vor drei Jahren, als Markus Wolf aus dem Ministerium ausschied, hatte ich auch schon Zweifel, besser gesagt, Überlegungen dahingehend, ob unsere Arbeit rechtens ist. Ich kam zu dem Schluß, es muß ihm nicht mehr möglich gewesen sein, bestimmte Vorstellungen zu verwirklichen. Er muß an einem ganz bestimmten Widerstand zerbrochen sein. Denn was ich von ihm immer so gehört habe, lief ja darauf hinaus, daß er der führende Mann sei, der geistige Lenker, der wirklich Erfolg Bringende, nicht Erich Mielke. Ich dachte, der kann doch nicht aus niedrigen Beweggründen gegangen sein. Da wird man ihm vieles andichten wollen. Ob's wahr ist oder nicht, weiß ich nicht. Er ist auch bloß ein Mensch. Und am 4. November war er der einzige und erste, der überhaupt versucht hat, eine Lanze für die geheimdienstliche Tätigkeit zu brechen und für die Menschen, die diese Tätigkeit ausgeübt haben, sonst hätte er nicht erklärt, er stehe zu seiner Arbeit. Ich glaube auch, mit einem anderen Mann an der Spitze wäre das Ministerium umprofilierbar gewesen, mit einer Konzentration auf tatsächliche Schwerpunkte in der geheimdienstlichen Tätigkeit.

Wir haben für unsere unmoralische Arbeit immer nach Entschuldigungen gesucht. So wurde in der zurückliegenden Zeit immer gesagt, Politik habe das Primat gegenüber dem Recht. Es erweist sich heute offensichtlich als falsch. Ob das wirklich so ist, möchte ich auch noch in Zweifel ziehen. Politik hat sicherlich eine bestimmte Rolle gegenüber dem Recht, aber die relative Selbständigkeit des Rechtes in einer Gesellschaft, die wurde mißachtet.

Die Politik lief falsch, weil die Theorie vergewaltigt wurde, und vor ein paar Tagen habe ich in einem Gespräch gesagt, daß möglicherweise nach Pieck immer nur Leute an der Macht waren, die charakterlich Versager waren. Das blieb nicht ohne Auswirkungen auf unser Ministerium, es ging doch in alle Bereiche. Wir haben uns selber kaputtgewirtschaftet durch Verantwortungslosigkeiten. Die Leute, die das hätten verhindern können, Minister, Kombinatsdirektoren und andere, haben nicht reagiert. Sie haben sogar noch vertuscht.

Ich gehe davon aus, daß ich Möglichkeiten finden werde, hier anderswo Fuß zu fassen. Würde ich weggehen, hätte ich überhaupt keine Zuversicht, irgendwo wieder ansässig werden zu können, denn wer glaubt das schon, daß mit Mitte Dreißig seine Tätigkeit beendet wäre? Man hat doch irgendwo 'ne Zielstellung gesehen. Wir hatten ganz konkrete Vorstellungen, was wir alles schaffen wollten, es gab auch edle Ziele darunter. Es war nicht alles unmoralisch. Traurig bin ich schon, aber Rache, Rachegedanken habe ich eigentlich keine. Das hängt vielleicht auch etwas zusammen mit dem Prozeß der Beherrschung von Emotionen und Gefühlen. Im Laufe der Jahre läßt man sich in bestimmten Dingen ein dickes Fell wachsen. Meine Sorge besteht einfach darin, daß es unklar ist, ob ich jemals wieder in meinem Beruf als Jurist arbeiten kann. Da stehen ja die Chancen sehr schlecht. Es ist nicht abzusehen, ob man aufgrund seiner früheren Zugehörigkeit zum MfS überhaupt wieder zugelassen wird. Deshalb gehen also die schwärzesten Vorstellungen in die Richtung, irgend etwas zu tun, nur um eine Mindestsumme aufzubringen, um wohnen bleiben und die Familie ernähren zu können. Ich wünsche mir natürlich, eine konkrete berufliche Entwicklung als Jurist zu beginnen, am Verwaltungsgericht der DDR zum Beispiel. Dort könnte ich mir vorstellen, Verantwortung zu übernehmen.

Und was meine übrigen Kollegen angeht: viele von denen, die ich kenne, sind gebrochen, und ich hatte mich bemüht, nur jene näher kennenzulernen, von denen ich der Meinung war, daß es ordentliche, vernünftige Menschen sind. Ich bin, ehrlich gesagt, auch froh, daß ich manchen nicht wiedersehen muß, höchstens auf der Straße, und ob ich ihn dann noch grüße, weiß ich nicht, weil mir bestimmte Personen ob ihres Charakters mit der Zeit widerlich geworden sind. Was haben wir alles für ein Kroppzeug eingestellt. Das ist auch so ein brisantes Problem gewesen, die Einstellungspolitik, wie Leute in den letzten 15 Jahren zum Ministerium gekommen sind. Selbst dort gab es immer wieder Menschen, die gewarnt haben, auch ich: Wenn wir so weitermachen, machen wir unser Ministerium, von der Qualität der Mitarbeiter aus gesehen, kaputt.

Am schwersten werden es die Kollegen haben, die nur das tschekistische Handwerk erlernt haben; abhängig von ihrer charakterlichen Stärke und Anpassungsfähigkeit, könnte ich mir vorstellen, daß einige einfach irgendwelche Arbeiten ausführen. Vor kurzem war einer bei mir zu Hause, ein ganz kluger Mann, sehr intelligent. „Ich mach jede Arbeit", sagt er, „ich mach jede Arbeit." Das machte mich traurig.

Nachdem die Auflösung des Amtes beschlossen war, hatte ich meinen schwärzesten Tag. An einem Freitag im Dezember wurden wir in unserer Abteilung zusammengerufen. Der Leiter sagte, bis 14.00 Uhr solle jeder sagen, welche Variante er wählt für seine künftige Tätigkeit. Dann wurden Möglichkeiten für sein künftiges berufliches Dasein vorgeschlagen. Diese Situation war so deprimierend, so unmenschlich, weil wir uns selbst als Opfer unserer Dienstherren fühlten, weil wir mit einer wirklichen Ausgeburt an Dogmatismus konfrontiert wurden. Ich habe nur weinende Männer und Frauen um mich gesehen. Allen war klar, damit ist diese Tätigkeit, diese Arbeit total am Boden. Schluß. Es gibt keine Perspektive mehr.

Von wegen Hilfe von unseren Vorgesetzten! Es gab

177

nur eine formal verkündete Hilfestellung, so in der Richtung, mit jedem würden Gespräche geführt. Und dann ein lakonischer Halbsatz: „Stabsmäßig organisiert, beginnen wir dann und dann . . .“ Alleine dieses Attribut „stabsmäßig“ stach jedem sofort in die Herz- und Magengegend. Das war typisch, in dieser beschissenen Situation wird nun noch von stabsmäßig organisierten Gesprächen zur sozialen Sicherstellung der Menschen gesprochen. Da wird noch über stabsmäßige Kultur geredet, die sowieso unter Niveau war. Jeder war sich selbst der Nächste. Ich habe versucht, ehemaligen Mitarbeitern, die sich dann an mich gewandt haben, zu helfen, für sie Arbeit zu vermitteln, was auch gelungen ist, obwohl ich selbst noch keine habe. Ich mußte feststellen, daß gegen alle Grundsätze des geltenden Arbeitsrechts verstoßen wurde.

Wie es in der Politik weitergeht, ich weiß es nicht. Man wird sich anderen Geheimdiensten ausgesetzt sehen, von deren Arbeitsweise sich der DDR-Bürger keine Vorstellung macht. Er hat auch die BRD-Exekutiv-Organe im Grunde nur von der Sonntagsseite, von der Besucherseite kennengelernt. In den seltensten Fällen ist er mal in Anspruch genommen worden, und dann hat die DDR dagegen opponiert und Einspruch erhoben. Aber wenn der Bürger, der jetzige DDR-Bürger, erst mal voll inhaltlich in Anspruch genommen wird als Bundesbürger nach geltendem Grundgesetz, dann wird er sehr wohl merken, daß in der BRD die Grundrechte zugleich als Schutzrechte gegenüber dem Staat ausgestaltet sind. Er wird lernen müssen, sich gegen den imperialistischen Staat zu schützen, wie er glaubte, sich gegen den sozialistischen Staat schützen zu müssen.

Ein Geheimdienst ist meines Erachtens unbedingt

vonnöten, denn aus humanistischen Gründen müßte sich ein Geheimdienst damit befassen, antihumanistische Kräfte zu bekämpfen. Egal, wie sie sich nennen, wie sie sich organisieren.

Vor allem die Lektüre von dem Mord an Olof Palme zeigt doch eindeutig, daß es nicht möglich ist, mit einfachen polizeilich-kriminalistischen Untersuchungen dahinter zu kommen, wer der Täter war.

Fanatische Handlungen sind nie ausschließbar. In keinem Land. Auch hier ist nicht auszuschließen, daß sich irgendwo fanatische Kräfte im stillen Kämmerchen zusammenschließen. Es ist keiner da, der die Prozesse tatsächlich kontrolliert, der zur Sicherheitslage eine solide Auskunft geben kann. Was sich im Verborgenen tut, wird doch nicht bekannt. Was nutzt es, wem nutzt es jetzt, den Kopf in den Sand zu stecken? Es muß ja weitergehen. Wenn möglich, besser.

Die konföderative Existenz zweier Staaten ist in meinen Augen machbar, setzt aber voraus, daß nicht bloß die DDR sich wandelt, sondern auch die BRD. Es wird doch so hingestellt, als wäre dieses Land das Musterbeispiel an bürgerlicher Demokratie. Das kann doch nicht wahr sein! Man kann doch nicht sagen, was wir leisten, das ist der Maßstab, und ihr müßt euch dahin entwickeln, und dann geht alles in dem einen Topf auf. Es wäre doch eigentlich viel sinnvoller, wenn die DDR ihre Gebrechen abschaffen könnte. Sicherlich brauchte sie dazu wirtschaftliche Hilfe und Unterstützung, nicht nur von der BRD, sondern auch von anderen Ländern.

Das schlimmste für mich ist, daß der sozialistische Weg verbaut ist, und keiner kann sagen, für wie lange.

Ob die PDS eine Zukunft hat, weiß ich noch nicht. Welche von den neu gegründeten marxistischen Parteien Profil haben wird, kann ich auch nicht sagen. Ich bin heute auch noch gar nicht soweit, mich irgendeiner Partei zuzuordnen, ich bin noch gar nicht bereit, wirklich ganz von vorn zu beginnen, wieder aktiv zu werden. Ich neige im Moment eher dazu, politische Abstinenz zu betreiben. Im Herzen bin ich nach wie vor Kommunist, aber jetzt Kommunist ohne Partei.

Es wurden Mann
und Maus überwacht

Rainer, 47 Jahre,
Hauptabteilung VIII

Wenn ich ganz ehrlich bin, fühle ich mich beschissen. Ich bin so deprimiert. Alkoholiker oder so was werde ich nicht, dazu bin ich nicht der Typ, weil ich 'ne gewisse Verantwortung für Familie, für Kinder, für die Frau habe. Ich hatte früher vor, eine Arbeit zu machen, die produktiv ist, die mir Spaß macht, die aber auch anderen dient und hilft. Dabei haben viele Befehle und Weisungen der letzten Jahre schon meinem Inneren widersprochen. Ich habe, wie man so schön sagt, „am Mann" gearbeitet.

Natürlich hat sich die „flächendeckende" Arbeit so etwa seit 1980 ausgeweitet. Den Mitarbeitern wurde von oben suggeriert, daß die Angriffe breiter würden, daß da nicht nur Institutionen, sondern auch Privatbereiche und private Personen zu observieren seien. Das betraf die Maßnahmen in Wohngebieten, in Wochenendgrundstücken. Observierungsarbeit wird ja zu jeder Tages- und Nachtzeit durchgeführt. Bei den Mitarbeitern herrschte die Meinung, hier handelte es sich um eine ganz reguläre anständige Arbeit. Ich war mir der Tragweite nicht bewußt, denn erst jetzt im nachhinein wurde aufgedeckt, daß ja Mann und Maus überwacht wurden. Na ja, Observationsmaßnahmen, der Einbau von Wanzen und anderem, das gehörte einfach zur geheimdienstlichen Arbeit, das macht jeder Geheimdienst, nur, daß das so flächendeckend war, das

181

war mir nicht bekannt. Es gab auch immer nur einige Hauptpersonen, also gewisse Gruppen. Die Zielgruppen waren beispielsweise Havemann oder andere, in der DDR bekannte Persönlichkeiten. Und die Gruppe Andersdenkender hat man uns eben in ein gewisses, sagen wir kriminelles Licht gesetzt, und der kleine Mitarbeiter hat geglaubt, hier muß man eben vorgehen. Dafür sind wir da.

Meine erste persönliche Abwehr gab es, als mir Kontakte zu ausländischen Bürgern, die normalerweise üblich sind, verboten wurden, als mir ein Rausschmiß aus dem Ministerium für Staatssicherheit angedroht wurde, weil sich diese mit meiner Arbeit nicht vereinbaren ließen. Man ging so weit, mir zu drohen, bei Nichtmitteilung von gewissen Vorgängen im Freundeskreis und bei Bekannten meine sofortige Entlassung zu verfügen und sämtliche finanzielle Zuwendungen für die Zukunft zu streichen.

Man hatte sich ja 'ne gewisse Position erarbeitet. Man hat sich über Jahre einen gewissen Ruf erarbeitet, hat mit vielen Menschen zu tun gehabt, die außerhalb des Ministeriums tätig waren, die mir selbst die Gewißheit gegeben haben, daß man auf dem richtigen Weg war, das heißt, seine Arbeit vernünftig machte und kein Stalinist war, daß man mit ruhigem Gewissen und mit Selbstachtung die Aufgaben erfüllte und vor allem das Menschliche dabei beachtete. Bei Vorgesetzten kam das nicht gut an. Ich war immer auch der Auffassung, daß ich mit der nötigen Vorsicht gearbeitet habe, dabei dachte, du machst hier nichts Unrechtes. Später dann, als sich die politische Situation zuspitzte, was hätte ich denn da machen sollen? Aussteigen? Dann wär's 'ne Befehlsverweigerung gewesen. Es gab überhaupt keine Möglichkeit auszusteigen, schon vorher nicht. Wir mußten Arbeiten übernehmen, für die wir überhaupt nicht zuständig waren, niedere Observationshandlungen bei Demos, wo ich selbst zu einigen Genossen gesagt habe: „Hier ist Ruhe, hier ist Sense, das laßt mal unsere Vorgesetzten machen, ich gebe mich dafür nicht her." Gegen das Volk vorzugehen, da spielte sich nichts ab, wenn sie Aktivitäten von uns verlangt hätten, mit Gewalt vorzugehen und einzugreifen, da hätte ich abgelehnt. Wir bekamen dann zu spüren, als wir mit Eiern beworfen wurden – was, rein bildlich gesehen, uns noch zum Lachen angeregt hat –, daß man das nicht so bagatellisieren konnte. Das Volk hatte doch eine ganz andere Meinung, 'ne ganz andere Haltung. Das ging dann so weit, daß man der Einsatzzentrale nur übermittelt hat, bei irgendwelchen Demonstrationen gibt es Ansammlungen, mehr nicht. Im nachhinein gab es dann Aussprachen dazu im Kollektiv, wo gewisse Scharfmacher, also Vorgesetzte, kamen und uns angeheizt haben, wo es zu Auseinandersetzungen kam und man von seiten der Vorgesetzten plötzlich gemerkt hat, man ist allein auf weiter Flur und kommt nicht mehr dagegen an. Ich selbst hatte die Überzeugung, daß das nicht gut geht. Ich wußte das. Es hatte absolut keinen Sinn, mit Brachialgewalt irgendwas zu unterdrücken. Der Topf war schon lange am Überkochen. Die ganzen Jubelfeiern der FDJ haben das noch verstärkt. Es wußten viele, viele Menschen, daß Gelder ausgegeben wurden. Ich wußte, daß die Bezirke beispielsweise keine Busse hatten und das Verkehrswesen völlig unterbesetzt und lahmgelegt war, daß es keine Ersatzteile gab, weil alles nach Berlin transportiert wurde, und das widersprach völlig meinen Vorstellungen. Das habe ich auch zum Ausdruck gebracht.

Warum wurden die Leute immer unzufriedener?

Zum Unmut hat wohl in erster Linie die Schönfärberei in vielen Betrieben geführt, daß alles das, was eigentlich schwarz war, plötzlich weiß gemalt wurde und man für sein erarbeitetes Geld nichts bekommen hat. Daß man durch diese falsche Wirtschaftsführung ein, sagen wir, Chaos fabriziert hat, daß man zum Beispiel den Wohnungsbau so hochgejubelt hat, daß für andere Dinge kein Platz und kein Geld war. Die Maschinen in den Betrieben und Institutionen waren verschlissen, runtergewirtschaftet bis zum Geht-nicht-mehr. Ich hatte mal vor etwa zwei Jahren in einigen Betrieben zu tun und stellte fest, daß die Betriebe aussahen wie früher, dermaßen runtergewirtschaftet! Wasser lief von den Wänden! Es wurde kein Dach gedeckt! Nichts. Alles wurde bagatellisiert. Man spürte, so konnte es nicht weitergehen. Ich habe selbst mit führenden Parteifunktionären und Betriebsleitern gesprochen. Mit ihnen war ich im Urlaub gleicher Auffassung, im Dienst waren sie plötzlich ganz anders, was mich erschreckt hat. Im Urlaub haben sie diese Sachen ehrlich und offen gesehen, und im Dienst war das alles null und nichtig. Mit diesen zwei Gesichtern zu leben, ja, das war nicht meine Art. Und das habe ich auch ganz offen zum Ausdruck gebracht.

Konkret zu meiner Arbeit: Sie war nicht speziell auf eine Person bezogen. Ich habe mich mit der technischen Vorbereitung für die Observation von Personen beschäftigt, kamera- und tontechnische Vorbereitung, ich habe Stützpunkte eingerichtet, wo man rein gedanklich durchspielen mußte, was wäre wenn. Man mußte sich voll konzentrieren, um eine Person unter Kontrolle zu halten, visuell fernsehtechnisch mit dem Fahrzeug etwa zu begleiten. Ist da die Kamera nun am Fahrrad oder Motorrad angebracht, am Auto oder so.

Da kam man nicht dazu, sich inhaltlich mit der Sache auseinanderzusetzen. Das kam erst später, und zwar dann, wenn man den Namen des Observierten hörte, der in irgendwelchen Zusammenhängen in der Presse veröffentlicht wurde. Dann machte man sich Gedanken, wobei man emotional sehr unterschiedlich reagierte. Ich war ganz schön blauäugig, habe geglaubt, daß es sich um Kriminelle handelte, die da zu observieren waren.

Früher, na ja, hat ja der Menschenhandel von Ost nach West eine große Rolle gespielt auf unseren Transitwegen. Man hat nicht gesehen, daß die Leute einfach nur weg wollten, aus welchen Gründen auch immer. Man hat gesagt, das sind kriminelle Handlungen. Das wurde auch von den Genossen so gesehen, und man war jederzeit eben darauf aus, solche Dinge zu unterbinden. Auch ich. Es war ja auch ein kriminelles Delikt, weil damit Geld verdient wurde. Wenn vielleicht kein Gelderwerb dahinter gestanden hätte, hätte es sicher zum Nachdenken angeregt. Aber aufgrund der Tatsache, daß sich Einzelne bereicherten durch das Leid anderer, gab es hier 'n ganz anderes Denken. Das war ein Beweis dafür, daß gegen unseren Staat gearbeitet wurde. So, und wer wollte das schon zulassen?

Aber seit vier, fünf Jahren hatte sich das natürlich verstärkt, die Mitarbeiter haben gemerkt, da haut was nicht hin, hier wird was kriminalisiert, was nicht kriminell ist, hier wird 'ne Opposition ganz einfach unterdrückt. Im Anfangszeitraum des Jahres 1989 wurden dann einige Mitarbeiter wach. Ich habe immer angenommen, daß wir vieles übernehmen, was in der Sowjetunion an Reformbestrebungen läuft, und ich bin damals der Auffassung gewesen, daß das auch bei uns zum Tragen kommen würde. Es hat sich aber absolut

nichts angezeigt. Warum? Die Partei wird hier maß-
geblichen Anteil gehabt haben. Leute wie Markus
Wolf, die das nicht mehr mit ansehen konnten und sich
quergestellt haben, die gesehen haben, wohin das Schiff
läuft, die sind abgesprungen. Wenn man eine gewisse
Persönlichkeit ist und einen gewissen Dienstrang erreicht hat, dann ist das sicher einfacher als bei einem
Mitarbeiter, der eine Familie zu versorgen hat. Markus
Wolf war doch privilegiert und hatte ein Hinterland.
Ich spreche mit Hochachtung von ihm, weil er auch die
Wende eingeleitet hat, auch im Ministerium. Der
Grund damals, 1986, als Markus Wolf aus dem Ministerium ausstieg, wurde uns verschwiegen. So 'ne Sachen wurden vertuscht. Und wenn man nicht selbst
viele Ohren hatte und sich informierte, dann hat man
nichts erfahren, denn der Mitarbeiterbestand wurde
dumm gehalten. Das war Praxis bei Dingen, die normalerweise hätten ganz ehrlich besprochen werden
müssen. Es mußte sich jeder selbst seine Gedanken machen. Und es gab sicher sehr viele Leiter, die sich gar
keine Gedanken machen wollten, weil es für sie so einfacher war, weil sie Angst hatten, ihrer Privilegien be-
raubt zu werden. Jeder versuchte doch, sein Schäfchen
ins trockene zu bringen.

Warum ich zur Staatssicherheit gegangen bin, das
habe ich mich selber oft genug schon gefragt. Na, ich
hatte ein bißchen Abenteuerlust früher als Jugendli-
cher und habe mir auch gesagt, dem Staat zu dienen ist
eine anständige Sache. Ich habe den festen Willen und
Glauben gehabt, daß diese Tätigkeit, die ich ausübe, für
das Volk ist.

Ich bin in einem kleinen Provinzstädtchen aufgewachsen, habe dort die 8-Klassen-Schule besucht, bin
in die Lehre gegangen und habe sie mit dem Facharbei-

terberuf als Schlosser abgeschlossen. Meine Mutter hat mich nicht beeinflußt, im Ministerium für Staatssicherheit zu arbeiten, sondern bei mir ging das anders. Ich hatte früher ein sehr schönes Hobby, den Segelflug. Dort habe ich die ersten Alleinflüge gemacht und wollte eigentlich Pilot werden, diesem Wunsch habe ich alles untergeordnet. Dann kamen Genossen der Partei zu mir, vom Betrieb, die fragten: „Möchtest du nicht Mitglied der Partei werden?" Und es gab überhaupt keinen Grund, nicht in die Partei einzutreten. Danach wurde ich in meinem Kombinat geworben für die Staatssicherheit. Sicher ist das auch ein Mythos für mich gewesen. Etwas Geheimnisvolles.

Angefangen habe ich als Kraftfahrer beim Personenschutz. Ich habe immer mit dem Gedanken gespielt, das nachzuholen, was ich in der Kindheit versäumt habe: weiter zur Schule zu gehen, mich zu qualifizieren, mich weiter zu bilden. Ich sah diese Zeit damals auch als Übergang. Es gab dann in der Anfangsphase Dinge, wo man als junger Mensch sicher ein bißchen über sein Ziel hinausgeschossen ist, beispielsweise, daß man fahrlässig beim Führen von Fahrzeugen war, daß man sich sehr stark fühlte, wenn man hinter einem Lenkrad saß. Ich sah aber einige Dinge, die mich, hätte ich sie früher als Arbeiter gesehen, in Zweifel gebracht hätten. Schon 1965 gab es eine Kaufhalle, in der vom Schnürsenkel aufwärts alles aus dem Westen war. Fürs Politbüro gab es dort alles. Ich fuhr damals Hermann Axen. Und diese Läden wurden im Laufe der Jahre weiter ausgebaut. Man hatte nur Zugang, in dem man sozusagen als Diener arbeitete. Wieso kann das sein, fragte ich mich. Diese Zweifel wurden ausgeräumt durch die Partei, durch Schulung, durch Gespräche leitender Genossen, die auch schon lange Zeit dort waren, und die gesagt haben, das Politbüro müsse das haben. Der Kapitalist habe das auch. Ab und zu hat man den Mitarbeitern auch mal Importe zugeschoben, das heißt, wir hatten früher die Möglichkeit, dort einzukaufen, Zigaretten, Bekleidung. Das wurde dann im Laufe der Jahre abgebaut. Ich kann mich nicht mehr genau festlegen, wann das war, aber 1970 vielleicht, ja, da wurde dies gestoppt. Dann war das nur noch für diesen Personenkreis möglich. Da gab es auch solche Dinge, daß Gemüse extra aus Dresden geholt wurde für Einzelpersonen vom Politbüro. Das hat mich innerlich natürlich sehr bedrückt.

Mit der Zeit kam es bei mir zu der Reaktion, es geht nicht. Hier kann ich nicht arbeiten, hier kann ich nicht leben, und ich habe gesagt: „Schluß!" Doch man hat mich überzeugt, weiterzumachen, und hat mich versetzt.

Dieses Gewäsch und Geschwätz, das man jetzt vom Stapel gelassen hat, daß in Wandlitz nur Delikatdinge dagestanden hätten oder nur eine Mieleküche, das ist gelogen, das ist Dummheit, wenn man versucht, so was zu erzählen. Sie haben absolut nicht mehr in der Realität gelebt, sie hatten alle Dinge, die im Westen käuflich sind. Vom Auto angefangen bis zum Schnürsenkel. Alles. Und dann wollten sie dem Volke einreden, sie wüßten genau, was das Volk braucht. Korruption und Amtsmißbrauch nennt man das heute.

Also ich ging dann zur Observation. Doch die Privilegienhascherei ging dort weiter. Heute bin ich der Meinung, daß selbst Leute, die ausgezeichnet wurden mit dem Scharnhorst-Orden, nach Bautzen gehörten, das war meine Auffassung, das habe ich ganz deutlich bei uns gesagt, in meiner Abteilung, und sehr laut gesagt. Mir ist nichts passiert, muß ich dazu sagen, es war allgemein bekannt, aber keiner hat sich getraut, es weiterzugeben. Es hätte auch keinen Sinn gehabt, weil es alle so gemacht hätten. Und im wesentlichen haben wir Mitarbeiter der Observation unsere Arbeit gemacht, nur damit die Obrigkeit in ihrem Sessel bleibt und sehr schön lange im Sessel bleibt. Die Geheimhaltung war ja so pervers, daß einer nichts vom andern wußte und dadurch keine Rückschlüsse ziehen konnte, daß er eigentlich in die falsche Richtung arbeitete. Durch die Spezifik der einzelnen Abteilungen, daß keiner wußte, was in der anderen Abteilung passierte, ging der Zusammenhang verloren. Wir waren gar nicht fähig, die ganze Tragweite zu überblicken, wie flächendeckend die Arbeit des MfS gewesen ist. Der Genosse bei der Postüberwachung oder bei der Telefonüberwachung kannte den Genossen nicht, der bei der Observation war. Es konnte sich keiner ein Bild machen, was insgesamt getan wurde. Das wußte nur das Führungsgremium des MfS. Klar, es gab ja auch so was, daß große Leiter abgesetzt wurden, weil die Korruption schon solche Ausmaße angenommen hatte, daß sie nicht mehr tragbar waren. Es ging sogar so weit, daß Genossen sich umgebracht haben, weil sie selbst in diese Machenschaften verstrickt waren, Leute, die kein Stück aus der DDR hatten, die Wasser gepredigt, aber Wein getrunken haben, die sich Grundstücke angeeignet haben, alles unter dem Deckmantel des Staates und in Ausnutzung ihrer Macht, die sie hatten. Es gab auch Untergebene, die 'ne Sprosse erklimmen wollten, die haben natürlich versucht, dem Herrn Oberst alles recht zu machen. Die Karrieristen wurden immer mehr bei uns, das heißt, nicht das zählte, was in der Arbeit gemacht wurde, sondern es zählte das, was der einzelne in einer Parteiversammlung gesagt hatte. Wenn einer kritisierte, dann kam er aufs Abstellgleis. Das betraf Beförderungen, Auszeichnungen, es betraf die breite Palette von Vergünstigungen. Sicher, finanziell waren wir besser gestellt. Aber für diese finanzielle Besserstellung haben wir auch mehr arbeiten müssen. Die Stunden und die Tage, die wir unterwegs waren, die Bereitschaften, die wir gemacht haben, das hätte kein normaler Produktionsarbeiter gearbeitet. Man war in ständiger Arbeitsbereitschaft. Aber man hat mitgemacht, weil man das Geld brauchte. Wer will schon seinen Lebensstandard einbüßen? Wer will schon die Lebensqualität, die er hat, aufgeben? Durch das Karrierestreben einzelner Leute war der Zusammenhalt, den es vor Jahren in der Truppe gegeben hat, zerstört. Die letzten Jahre war sich jeder selbst der Nächste. Und deshalb ist es auch nicht möglich, daß die Ehemaligen sich zusammenfinden und eine Revolte anzetteln könnten. Sie sind moralisch so kaputt und so zersplittert, daß es nicht machbar wäre, absolut nicht. Wer das denkt, der hat keine Praxis. Mir tut es heute nur weh, wenn man alle über einen Kamm schert, wenn man jeden Mitarbeiter, der bei dieser Institution war, verurteilt.

Natürlich, die Staatssicherheit fühlte sich als Kampfreserve der Partei. Die Partei hatte hier das Sagen, und ich habe vielfach mit leitenden Mitarbeitern von Betrieben gesprochen, die sich nicht durch das Ministerium für Staatssicherheit überwacht gefühlt haben, sondern durch die Bezirks- und Kreisleitung, die die Betriebe ausgenutzt haben, die ihre Machtbefugnis ausgenutzt haben, ihr Schäfchen ins trockene zu bringen, die Präsente für den persönlichen Bedarf abgefordert haben. Dinge wurden dem Ministerium für Staatssicherheit unterstellt, die es nie angewiesen hat. Die Partei hat eine dermaßen schändliche Rolle gespielt, daß ich mich heute noch dafür schämen muß.

Ja, sicher, ich fühle mich betrogen, in vielerlei Hinsicht. Erstens fühle ich mich von der Partei betrogen, zweitens fühle ich mich in der Richtung betrogen, jahrelang eine Tätigkeit getan zu haben, die sich immer mehr gegen das Volk gerichtet hat. Ich kann nur eines tun, mein Leben anders einzurichten, mich über die Arbeit, ganz normal, wieder eingliedern. Wenn ich jetzt mal in West-Berlin oder in der BRD bin, dann ist es sehr schön, ich habe keine Angst, ich habe nichts zu verbergen, ich habe auch nichts zu verheimlichen, und ich will auf jeden Fall auf mein Recht pochen, denn ich habe keinen Menschen umgebracht, ich habe gegen die Menschenrechte in einem nachweisbaren Sinne nicht verstoßen. Und ich bin nicht gewillt hinzunehmen, der Arbeiterklasse gedient zu haben und jetzt plötzlich als übelster Faschist hingestellt zu werden oder als Stalinist, der noch schlimmer war als 'n Faschist, wie man das heute sieht. Das sehe ich absolut nicht ein. Und das sind meine jetzigen Probleme, die auch dazu führen, daß man nicht schläft, daß man sich darüber Gedanken macht.

Politisch gesehen, bin ich an einen Punkt gelangt, wo ich sage, ich laß mich für irgendeine Sache nicht mehr mißbrauchen. Ich bin aus der Partei ausgetreten, weil ich mich schon von vielen Dingen, die alle im Namen der Partei gesprochen wurden, distanziert hatte. Ich will, um es mal ganz primitiv zu sagen, keinem Kaiser mehr dienen. Ich möchte noch 'n paar Jahre leben, in Frieden leben, und ich möchte unbedingt noch mitschwimmen. Ich möchte was für meine Kinder erreichen, für meine Familie, und darauf konzentriere ich mich voll. Ich ziehe mich von jeglicher Politik zurück, weil ich keine Alternative sehe und auch keine Perspektive. Arbeit muß ich finden. Der soziale Abstieg ist momentan enorm für mich. Aber es wird schon wieder werden. Für mich gibt's kein Aus.

An die Öffentlichkeit zu treten,
dazu fehlt mir der Mut

Martin, 38 Jahre,
Zentraler Medizinischer Dienst

Das Ministerium für Staatssicherheit ist vor allen Dingen deswegen gescheitert, weil sich in den letzten Jahren herausgestellt hat, daß einmal die Altersstruktur in diesem Organ, insbesondere was die Besetzung von Führungspositionen betraf, nicht mehr mit der Zeit mitgegangen ist. Das betrifft also nicht nur charakterliche und personelle Fragen. Nach meinem Empfinden waren Mitarbeiter in der Führungsspitze, die seit Gründung des Organs dabei waren, den alten Ideen, Methoden verhaftet, und mit der Zeit nicht mehr mitgehen konnten. Auf der anderen Seite tat die politisch straffe Linie ohne Flexibilität, ohne Eingehen auf zeitgemäße Bedingungen innerhalb unseres Landes und der Weltpolitik ihr übriges. Und zum dritten war für viele Mitarbeiter durch die Bedingungen, unter denen sie leben und arbeiten mußten, klar erkennbar, daß – wie Manfred Gerlach sagte – die Selbstdarstellung der DDR mit der gesellschaftlichen Wirklichkeit nicht mehr übereinstimmte. Ja, das war für uns alle spürbar, denn wir haben ja auch irgendwie im Leben gestanden, sei es in der Kaufhalle, sei es in den Elternversammlungen oder während anderer gesellschaftlicher Arbeiten, wo es Kontakte mit ganz normalen Bürgern gab. In der Familie zeigte sich ganz eindeutig, daß das, was propagiert wurde als Wahrheit in der DDR, wirklich nicht der Realität entsprach, wobei die Massenmedien ja noch wesentlich dazu beigetragen haben, die Politik unserer Führungsspitze im MfS zu unterstützen. Man hat uns also in wesentlichen Fragen gesellschaftlicher Schwierigkeiten und Probleme in dunkeln stehen lassen. Wir mußten zum Beispiel durch die Parteiarbeit und durch unsere persönlichen Erkenntnisse versuchen, uns über die wirkliche Lage ein Bild zu machen. In meiner Parteigruppe waren sehr viele Frauen, die schon durch den täglichen Existenzkampf in der Kaufhalle und in Dienstleistungsbetrieben den Eindruck hatten, wie die gesellschaftliche Wirklichkeit ist. Und wenn wir unsere Sorgen darüber versucht haben an die höhere Parteileitung weiterzureichen, setzte schon der bewußte Stopp ein: „Beschäftigt euch mit den Problemen, die wirklich wichtig sind", wurde uns gesagt, „alles andere wird schon richtig laufen, habt Vertrauen in die Politik von Partei und Regierung, die werden das schon machen. Und wenn es Probleme gibt, könnt ihr selbstverständlich weiterhin zu uns kommen."

Eine offene Oppositon, die sich gegen das Regime, gegen die Politik, gegen Verfahrensweisen, gegen Personen offen aussprach, hat es bei uns nicht gegeben. Was hätte man riskiert? Im Prinzip eigentlich doch nichts weiter, als daß man dieses Organ hätte verlassen müssen, oder man wäre strafversetzt worden. Das allein wär's aber doch nicht gewesen. Außerdem waren die Abteilungen untereinander strikt abgegrenzt. Es existierte eine sehr straffe Trennung zwischen den einzelnen Arbeitsbereichen innerhalb dieses Organs, wo nach dem Prinzip, jeder darf von seiner Arbeit nur soviel wissen, wie er für die Lösung seiner unmittelbaren Aufgaben braucht, auch gar keine Kontakte gepflegt wurden. Man würde doch nur mit denen putschen, zu denen man unbedingtes Vertrauen hat, von denen man weiß, sie gehen mit der Idee mit und würden einem im Falle einer Auseinandersetzung, sei es eine ideologische oder auch eine handgreifliche Auseinandersetzung, zur Seite stehen. Aber bitte schön, von mir aus war auch ein bißchen Feigheit dabei, und ich muß es unserem fehlenden Nachdruck zuschreiben. Aber so schlimm, daß die Notwendigkeit bestanden hätte zu putschen, war es nicht. Denn alle diejenigen, die ich kenne, haben die spezielle Arbeit, die sie geleistet haben, gern gemacht.

Ach, alle sehen immer nur das Geld, das viele Geld, das wir verdienten. Dabei mußten wir auch enorm viel Zeit ans Bein binden, und außerdem unterlagen wir Beschränkungen, was den Aufbau eines persönlichen Bekanntenkreises betraf. Das bedeutete, wenn wir die Absicht hatten, als Ledige jemanden zu heiraten, mußten wir halt erst mal warten, bis der aufgeklärt oder abgeklärt war, ob er also anhand der Kaderakte auch würdig war, unser Partner zu werden. Das war das eine. Das zweite spielte in dieselbe Richtung. Es ist sehr vielen Mitarbeitern so gegangen, daß sie mehr oder weniger bis auf ganz wenige Bezugspartner, die wahrscheinlich dann auch aus dem Organ selbst gestammt haben, keine Möglichkeit hatten, sich einen Bekanntenkreis aufzubauen. Darüber hinaus war es so, daß die ganze Urlaubsplanung mehr oder weniger Befehlsstrukturen unterlag. Wie oft ist es vorgekommen, daß, wenn ein Ehepaar bei uns gearbeitet hat, der Mann von seiner Dienststelle gesagt bekam: „Du kannst also dieses Jahr nur im März Urlaub machen", und die Frau mit zwei Kindern bekam eben gesagt: „Du mußt im September gehen, anders geht's eben nicht."

Man muß sagen, daß die flächendeckende Überwachung und das Anlegen von sechs Millionen Akten aus politischer Sicht ein eindeutiges, vielleicht das eindeutigste Zeichen dafür ist, daß bewußt eine echte Demokratieentwicklung von unten unterdrückt wurde. Wir haben nicht gewußt, daß das in diesem Ausmaß geschehen ist, sondern wir sind davon ausgegangen, daß politische Kräfte überwacht wurden, die die Entwicklung des Sozialismus in der DDR stören wollten. Es war für uns eine Selbstverständlichkeit, daß das richtig ist. Es stimmt, daß mit dem Antritt von Gorbatschow in der UdSSR-Regierung unterschwellig schon längst vorhandene Hoffnungen auf eine Demokratieentwicklung in der DDR genährt wurden und daß durch das Abschmettern der Argumente und die Darstellung der Situation in der Sowjetunion durch unsere Führung diese Hoffnung zum Teil wieder zurückgenommen wurde. Wir haben nicht verstanden, warum in unserer Partei davon ausgegangen wurde, daß das nur die inneren Angelegenheiten der Sowjetunion wären, die dort diskutiert worden sind. Wir haben sehr wohl gemeint, daß einiges übernehmbar wäre. Mit Hagers Tapezierspruch haben wir uns absolut nicht identifizieren können. Wir waren schon der Meinung, daß bei uns was passieren müßte. Diese Überalterung hat ja nicht nur mit sich gebracht, daß falsche Politik gemacht wurde, sondern auch, daß die entsprechenden Nachwuchskader nicht rechtzeitig herangezogen worden sind.

Daß sich was verändern mußte, war mir schon lange klar. Durch meine langen Arbeitswege, bis zu drei Stunden pro Tag, habe ich die Menschen studiert: in der S-Bahn, in der U-Bahn, in der Straßenbahn. Ich habe mir die Menschen angeguckt und registriert, daß sie unzufrieden aussahen, daß es also nicht nur mir so ging, wenn ich abends in der Kaufhalle stand und die schmutzigen Regale sah, sondern offensichtlich vielen

Menschen bereits frühmorgens, und ich habe mir gesagt, das kann irgendwie nicht gutgehen. Ganz kraß wurde das in den Vor-Novemberwochen. Wir haben über unsere leitenden Parteigremien Informationen gefordert: Was ist das Neue Forum, wie ist sein Programm, was das Ziel? Es trat ein unverständliches Zögern ein, uns diese Information zu liefern, obwohl wir wußten, daß das Programm des Neuen Forum ja längst in der Hauptabteilung XX vorliegen mußte. Wir haben also versucht, mit diesen Genossen dort zu reden und wurden daraufhin mit einigen Auszügen gefüttert. Na, mein Gott, dachten wir, die Forderungen, die hier gestellt werden, sind ja zum Teil dem Programm der SED entlehnt. Und spätestens da wurden wir stutzig. Aber dann ging alles so rasant, dann begann praktisch die Einsatzzeit für uns. Doch der Grundtenor der Parteilinie war auch in diesen heißen Tagen: das ist eine oppositionelle Organisation, die an den Grundfesten des Staates rüttelt und mit dem Westen zusammenarbeitet. Wir konnten nicht anders argumentieren, als unser Wissensstand zu dem Zeitpunkt war. Und dann spielte das Neue Forum ja auch plötzlich keine Rolle mehr. Denn dann kam ja die Wende und hat alles überrollt und weggefegt.

Aber daß dieses Organ total zerschlagen wurde, kann ich nicht gutheißen, weil das für mich der Ausdruck von Massenhysterie ist. Dabei haben wir selber Schuld an dieser Hysterie, durch unsere fehlende Öffentlichkeitsarbeit vor allen Dingen, durch die fehlende Selbstdarstellung, wobei ich der Meinung bin, daß die Hysterie wohl nicht allein von den gesellschaftlichen Kräften der DDR, sondern auch von ausländischen Kräften geschürt wurde. Ich will jetzt nicht dem bösen bundesdeutschen oder amerikanischen Kapitalismus die Schuld zuschieben, sondern ich gehe ganz einfach davon aus, daß es selbstverständlich im Interesse aller westlichen Geheimdienste liegen mußte, das Organ zu zerschlagen. Aber diese Gesellschaft war so verkrustet, daß die Verantwortlichen einfach nicht wahrhaben wollten, was an der Basis passierte. Ich habe das auch bei meinen Vorgesetzten bis zum Schluß festgestellt, daß sie sich im Prinzip nicht schuldig fühlten. Sie waren völlig kopflos und meinten, das kann doch gar nicht sein, daß wir etwas falsch gemacht haben. Ich will damit sagen, daß bis zu der Stufe Oberst, mit anderen Leuten hatte ich nichts zu tun, wirklich so viel Unklarheit herrschte, daß sie völlig blind waren.

Doch die innere Opposition im MfS hat sich seit vielen Jahren verstärkt. Es war ein äußerliches Stillhalten bei den Menschen nach der Devise: der Krug geht so lange zum Brunnen, bis er bricht. Das ist ja in der Geschichte vielfach bewiesen, daß es dann nur noch eines Funkens bedarf, um so eine Revolution auszulösen. Diese Revolution hätte nie stattfinden können, wenn nicht in den Köpfen der Menschen die Überzeugung von der Unmöglichkeit dieses Systems schon längst vorhanden gewesen wäre. Sonst hätte es nicht diese Massenbewegung gegeben, ob nun gegen das Organ oder gegen den Staat an sich.

Ich bin schon der Meinung, daß bis zum vorletzten Parteitag durchaus noch positive Ergebnisse in diesem Staat zu sehen waren. Nehmen wir nur mal die Sozialpolitik, und auch die ökonomische Politik hat ja, wenn auch nicht mit dem Tempo, wie es in der Zeitung stand, mit wachsendem Nationaleinkommen und fingierten Zahlen, stattgefunden. Doch soweit mir zur Kenntnis gelangte, haben unsere Diensteinheiten realistische Einschätzungen gegeben. Sie sind aber im Politbüro nicht verwandt worden oder wurden niedergeschnattert. Wenn man da richtig reagiert hätte, glaube ich, wäre diese Wende möglicherweise in der Form nicht notwendig gewesen. Es hätte eine Wende auf jeden Fall vollzogen werden müssen, aber auf der Basis der Demokratieentwicklung, auf der Basis der Internationalisierung der Produktivkräfte, die ich für sehr wesentlich halte, um überhaupt Wohlstand, Fortschritt und Sozialpolitik veranstalten zu können. Dann hätte das natürlich zwangsläufig vorausgesetzt, daß die verkrusteten Köpfe rechtzeitig hätten verschwinden müssen. Und das ist leider nicht geschehen. Die DDR wurde im politischen Sinne mehr oder weniger eine Monarchie einiger weniger, die glaubten, den Stein der Weisen gefunden zu haben, und die festlegten, wie die Zahlen auszusehen hatten. Das wissen wir mittlerweile auch. Und jede Kritik, die an ihrer eigenen Position hätte rütteln können, wurde von vornherein unterdrückt. Wir haben sehr intensiv die Wiener Verhandlungen, den KSZE-Prozeß und ähnliches verfolgt und haben gemerkt, daß unsere eigene Demokratie in der DDR im Gegensatz zur demokratischen Entwicklung im Weltmaßstab weit zurückgeblieben ist. Wenn man sich nur die einzelnen Körbe von Helsinki anguckt, da kommt es sehr deutlich zum Ausdruck, was wir davon gedruckt haben in der Zeitung. Immer nur auszugsweise. Da war eigentlich schon der Denkansatz bei uns: Mensch, die wollen uns verdummen! Es wird nicht die ganze Wahrheit dargestellt, es werden nur Teilwahrheiten an die Bevölkerung weitergegeben, damit nur ja keiner auf die Idee kommt, sogenanntes westliches Gedankengut in der DDR im Sinne der Basisdemokratie zu verfechten.

Doch Sie wollten von mir eine Einschätzung des Organs aus heutiger Sicht. Eigentlich ist das Ministerium für Staatssicherheit durch kein Gesetz legitimiert. Diese Erkenntnis habe ich aus der Zeitung entnommen. Nach unserer Auffassung ist es eigentlich so gewesen, daß wir annahmen, Schild und Schwert der Partei zu sein. Wir haben uns aber nie als Parteiorganisation empfunden, sondern als Ministerium und dementsprechend zum Ministerrat gehörig, der Regierung rechenschaftspflichtig. Daß das gar nicht so war, diese Erkenntnis haben wir eigentlich erst jetzt gewonnen. Doch wir waren ja alle so diszipliniert! Und ich glaube, daß jedes System eine Disziplinierung seiner Bürger vornimmt, wobei man jetzt die Frage der Grenzen dieser Disziplinierung betrachten sollte. Bei uns hat diese Disziplinierung dazu geführt, daß keine denkenden Bürger mehr erzogen wurden, sondern tatsächlich in der Mehrzahl Mitläufer und Jasager. Und das hat die Entwicklung des Sozialismus in der DDR nun wirklich nicht vorwärts gebracht, weil das Immer-streng-auf-der-Linie-Fahren das Individuum in seiner Entwicklung schädigt, und auf der anderen Seite, wie sich gezeigt hat, der Meinungspluralismus, so er ordentlich gefördert wird, doch eine Bereicherung mit sich bringt und möglicherweise sogar ein viel schnelleres Tempo einer positiven Entwicklung zuläßt. Insofern hat die Disziplinierung den Charakter einer Überdisziplinierung gehabt. Andererseits denke ich aber, will man mir Stalinismus unterstellen, daß also auch die Bundesrepublik und andere kapitalistische Staaten demokratische Massenbewegungen nach wie vor nur bis zu der Grenze entstehen und fördern lassen, solange die eigene Gesellschaftsordnung nicht in Gefahr gerät. Wenn's an die Grenze der gesellschaftlichen Existenz geht, dann wird Schluß gemacht, dann gibt's strafrechtliche Verfolgung, Ausgrenzung und anderes mehr.

Ich bin der festen Überzeugung, nach Marx: Das gesellschaftliche Sein bestimmt das Bewußtsein. Wenn wir uns das Nord-Süd-Gefälle in der DDR angucken, dann ist doch eindeutig, daß in den südlichen Bezirken die Probleme, wie Versorgungslage, Umweltschutz, Bausubstanz, städtebaulicher Zustand, verkehrstechnische Erschließung, riesengroß sind und in dieser Deutlichkeit vorher nie zur Sprache kamen, nicht berücksichtigt wurden und darauf nicht entsprechend reagiert wurde. Das hat in den Menschen ein Potential erzeugt, ein Potential des Willens, so schnell wie möglich eine Änderung herbeizurufen. Und dann kam die große Bundesrepublik! Aber was geschieht denn eigentlich, wenn die ehemalige DDR oder Noch-DDR in den kapitalistischen Konkurrenzkampf eintritt? Was geschieht denn dann dem sogenannten mündigen Bürger eigentlich? Ich glaube, dieser menschliche Grundzug, so gut wie möglich zu leben – und da hat die Bewußtseinsschulung der sozialistischen Schule gar nicht viel bewirkt in all den vierzig Jahren – dieses Schnell-gutleben ist der Grundtenor. Basisdemokratie bedeutet ja, sich selbst im Bewußtsein als Staatsbürger zu entwickeln, sich selbst Gedanken zu machen über gesellschaftliche Prozesse, Entscheidungen zu fällen, die man ja vierzig Jahre lang nicht fällen mußte, das wurde einem ja nicht anerzogen. Diese fehlenden Fähigkeiten, Basisdemokratie überhaupt auszuüben, haben jetzt dazu geführt, sich sofort in eine neue Abhängigkeit begeben zu wollen, aus der SED-Abhängigkeit in die CDU-Abhängigkeit.

Uns kann man nicht mit Securitate vergleichen! Bestimmt 10 Jahre sprechen wir schon von Mao-Ceauşescu. Das erklärt eigentlich meine Stellung zur Securitate. Und die Information über die Arbeitsweise dieses

Sicherheitsorgans Rumäniens haben wir erst jetzt bekommen. Wirklich. Aber worüber wir uns vorher schon ein Bild machen konnten, war die Politik Ceauşescus, des Familienclans Ceauşescu, und da war, soweit ich zurückdenken kann, eigentlich immer Ablehnung. Also mehr möchte ich dazu nicht sagen. Mit denen hatten wir absolut nichts zu tun!

Bleiben wir lieber in der DDR: Es ist gut, daß die Entwicklung so gekommen ist. Denn es hätte so nicht weitergehen können. Das war keine Arbeit für das Volk, wenn ich das Organ jetzt mal subsumieren darf, in all seinen Funktionen und Tätigkeiten. Es war eine Tätigkeit für eine Parteiführung, die festgelegt hat, was gut und richtig ist, was falsch ist und was nicht. Das Volk war nicht mehr der Souverän, sondern das waren einige wenige. Und deswegen ist es gut, daß dieses ausführende, dieses unterstützende Organ weg ist. Obwohl, ich bin trotzdem der Meinung, daß jeder Staat sowohl einen Nachrichtendienst als auch einen Verfassungsschutz braucht, der unter demokratischer Kontrolle steht. Aber das konnte dieses Organ nicht mehr werden, obwohl viele, vor allem eben ältere Genossen mit ihren Dienstgraden, noch bis Februar/März geglaubt haben, na, warten wir noch vier Wochen, dann ist alles wieder beim alten.

Es gibt nach meiner Auffassung einen Grund oder zwei Gründe, warum dieser Apparat so angewachsen ist. Diese Fürsten, die Hauptabteilungsleiter, rafften. Sie wollten einfach Macht haben. Wollten was darstellen. Und das Machtpotential wächst ja auch mit dem Mitarbeiterpotential. Je mehr Mitarbeiter ich habe, um so mehr habe ich über sie zu bestimmen. Das ist das eine. Auf der anderen Seite ist es aber auch so, daß die zu bewältigenden Aufgaben – egal ob man sie jetzt hinterher noch rechtfertigen kann oder nicht – nicht mit der neuesten Technik durchgeführt worden sind. Wir sind, so wurde uns jedenfalls immer gesagt, im Interesse der Volkswirtschaft nicht auf Computer umgestiegen und nutzten verschiedene andere technische Hilfsmittel. Wir haben also im Vergleich zu westlichen Geheimdiensten mit Sand und Wasser gearbeitet. Und dazu bedarf es natürlich dann auch eines entsprechend großen Mitarbeiterstabes, um diese Aufgaben zu erfüllen. Allein die Hauptabteilung Kader und Schulung hatte mehr als 4000 Mitarbeiter. Die Disziplinierung der Mitarbeiter erfolgte vor allen Dingen in politisch-moralischer Hinsicht, so in der Form: „Also, wenn du hier ausscherst, dann wirst du große Schwierigkeiten haben, dich im zivilen Leben wieder zurechtzufinden." Sprich: „Wir haben die Möglichkeit, wenn du dich in einem Betrieb für eine Arbeit interessierst und dich um eine Stelle bewirbst, dich ins Leere laufen zu lassen." Und die Macht hatten sie. Es war einfacher, aus dem Organ rauszukommen, wenn man unter Alkohol am Steuer saß, als wenn man den Wunsch äußerte: „Also ich warte jetzt schon drei Jahre auf eine Wohnung, meine Frau sitzt immer noch in Rostock oder in Suhl. Ich will wieder zurück." Da war man schon ein politischer Blindgänger bei vielen. Ich will das nicht generalisieren, aber ich kenne Beispiele, wo das so gelaufen ist. Ich selbst war schon mal soweit zu gehen. Ich hatte schon den Dienstausweis auf den Tisch gelegt, weil ich mich mit meinem Dienstvorgesetzten total überworfen hatte. Doch ich habe mich durchgesetzt und blieb.

Aber die Frage der Korruptheit anzusprechen, halte ich für sehr wichtig, denn ich glaube schon, daß eine ganze Menge Privilegien genossen wurden. Von vor allem denjenigen, die in der Führungsschicht waren.

Jetzt will ich keine Dienstgrade nennen. Ob Oberst oder Generäle, kann ich so schlecht beurteilen. Privilegien gab es bis zum Schluß. Und es war durchaus so, daß bei diesen Kadern allgemein die Devise herrschte: „Wasser predigen und Wein saufen". Jetzt muß natürlich automatisch die Frage kommen, warum ich nichts dagegen unternommen habe, und dann käme halt wieder zur Sprache: Erstens hätte man es beweisen müssen, daß das unlauter war, was da betrieben wurde, und das wäre auf jeden Fall schwer gewesen, weil die sehr viel Geld verdient haben und die sich also sowieso vieles leisten konnten, und auf der anderen Seite wäre man auf jeden Fall Repressalien ausgesetzt gewesen, wenn man aktiv daran gerüttelt hätte.

Na ja, jetzt ist alles vorbei, und jeder von uns muß versuchen, ganz von vorn anzufangen. Traurig ist das schon. Es gab keinerlei Lebenshilfe, die Mitarbeiter kriegten einen Tritt. Nichts weiter. Was machen denn die, die außer dem tschekistischen Handwerk nichts anderes gelernt haben, oder diejenigen, die aufgrund ihrer langjährigen tschekistischen Tätigkeit ihre ursprüngliche Fähigkeit im erlernten Beruf verloren haben? Oder diejenigen, die, sagen wir mal, knapp vor der Vorruhestandsregelung stehen? Was sollen die machen? Wenn wir in der DDR nicht durch die gesellschaftliche Entwicklung zum Kapitalismus generell das Problem der Arbeitslosigkeit kriegen würden, dann hätte ich mir vorstellen können, daß Konzepte erarbeitet worden wären, Umschulungsprogramme, die die Eingliederung in Betriebe ermöglicht hätten. Aber bei der rasanten gesamtgesellschaftlichen Entwicklung ist das sicherlich eine überzogene Forderung. Man muß es wohl so sehen. Dazu kommt natürlich, daß, wenn jemand diesen bewußten Stempel im SVK-Ausweis hat und nur ein Dienstzeugnis statt einer Beurteilung, natürlich dann in den Betrieben und Institutionen Schwierigkeiten für die Einstellung generell entstehen und ich auch schon mehrfach Fälle gehört habe, daß die Kaderleiter zwar mit der Einstellung einverstanden waren, selbst bei niedrigsten Tätigkeiten aber dann die Kollektive, in denen derjenige hätte arbeiten müssen, sich mehr oder weniger geschlossen gegen den „neuen Kollegen", also ehemaligen Mitarbeiter, ausgesprochen haben. Es war eine Massenhysterie! Die hat natürlich gegriffen.

Ich kann zwar die Verbitterung der Menschen verstehen, aber auf der anderen Seite – das hängt vielleicht eben doch vom Charakter und ein bißchen auch von der Intelligenz der Menschen ab – muß man doch jedem Menschen die Möglichkeit zur Reintegration in die normale Gesellschaft geben. Das macht man mit jedem Schwerverbrecher oder zumindest mit jedem Straffälligen. Nur wir werden ausgegrenzt. Und wenn man uns weiter ausgrenzt? Tja, das kann zu einer absoluten Persönlichkeitsdeformation mit allen Konsequenzen führen. Das sind Erscheinungen, die wir ja heute schon beobachten können. Ich sagte ja bereits, das geht vom Alkohol- und Drogenmißbrauch bis zum Suizid. Es erfolgt hier ein gesellschaftlicher und sozialer Abstieg dieser Menschen, aus dem sie nicht mehr rauskommen werden, und das ist das Aus!

Wenn die Mitarbeiter an den Rand der Gesellschaft gedrückt werden, werden sie sich finden. Ich weiß durch Aussagen von ehemaligen Mitarbeitern, daß sie mit dem Gedanken spielen, sich zu organisieren. Ob das ernst gemeint ist, das vermag ich jetzt nicht zu beurteilen, aber ich halte es zumindest bei Mitarbeitern, die langjährig in diesem Organ waren, die also Terrorbekämpfung gelernt haben und selbst subversive Akte beherrschen, für möglich, daß sie, wenn sie an den Rand ihrer Existenz gedrängt werden, fähig wären, sich zusammenzurotten und loszuschlagen. In dieser totalen Ausweglosigkeit, in ihrer Aggressivität, sind sie möglicherweise zu allem fähig.

Was mich und meine Frau anbetrifft, müssen wir damit leben, daß uns eine Kollektivschuld angelastet wird, und wir schämen uns auch dafür, daß doch eine Reihe von Auswüchsen in der Tätigkeit des MfS vorgekommen sind, die in keiner Weise zu tolerieren sind. Auf der anderen Seite möchte man sich artikulieren: „Hört doch mal zu! Es sind doch nicht alle so gewesen. Es war auch nicht alles schlecht, was gemacht wurde." Aber an die Öffentlichkeit zu treten, muß ich gestehen, dazu fehlt mir der Mut, weil ich doch um meine Existenz fürchte. Sowohl physisch als auch moralisch. Aber so kann es nicht weitergehen. Das gibt eine Katastrophe. Ich setze auf etwas anderes noch eine Hoffnung, um die Pogrom-Stimmung, um die Massenhysterie gegen uns abzubauen. Vielleicht ist es doch möglich, den Menschen klar zu machen, daß sie alle an der Entwicklung in diesem Staat mit Schuld zu tragen haben. Jeder sollte sich doch ein bißchen an die eigene Nase fassen und sagen: Was hast denn du dagegen getan, daß das überhaupt so werden konnte bzw. was hast denn du dafür getan, daß sich was ändert. Aber das setzt nun wieder ein bißchen Erkenntniswillen voraus, den vielleicht doch nicht die Mehrheit der Bevölkerung hat. Leider.

Natürlich war ich in West-Berlin. Ich hatte dort ein ganz spezielles Erlebnis. Es war an einem Nachmittag im vergangenen Jahr, und ich dachte mir, ohne daß ich mich vorher mit meiner Frau abgesprochen hatte, du gehst jetzt mal rüber. Ich bin zum Grenzübergang ge-

gangen, bin immer langsamer geworden, kriegte Herz-
klopfen, Schweißausbrüche und bin umgekehrt. Und
dann hat es sehr lange gedauert, noch Wochen, bis wir
uns entschlossen haben, mit einem uns nahestehenden
Menschen den Schritt zu wagen. Ich war erstaunt, wie
das am Bahnhof ablief. Wie glatt das an mir runterging,
dann da rüberzulaufen. Wir haben noch gelacht, daß
wir nun endlich einen grünen Stempel in unserem Ausweis hatten, und empfanden das Ganze dann, wie unser
Junge, eigentlich als großen Intershop und sonst nichts.
Natürlich wäre es schön gewesen, das will ich durchaus
zugestehen, wenn wir es mit unserer Ökonomie geschafft hätten, einen ähnlichen Lebensstandard, was
Konsumgüter betrifft, zu erreichen. Es wäre schön gewesen, aber es ist für uns nicht das ein und alles.

Inhalt